知念実希人

幻影の手術室
天久鷹央の事件カルテ
完全版

実業之日本社

実業之日本社文庫

目次

プロローグ　7
第一章　透明人間の密室　21
第二章　手術部に蠢く影　105
第三章　シリンジのダイイングメッセージ　216
エピローグ　317
書き下ろし掌編　鴻ノ池の笑顔　325

清和総合病院　手術エリアフロア図

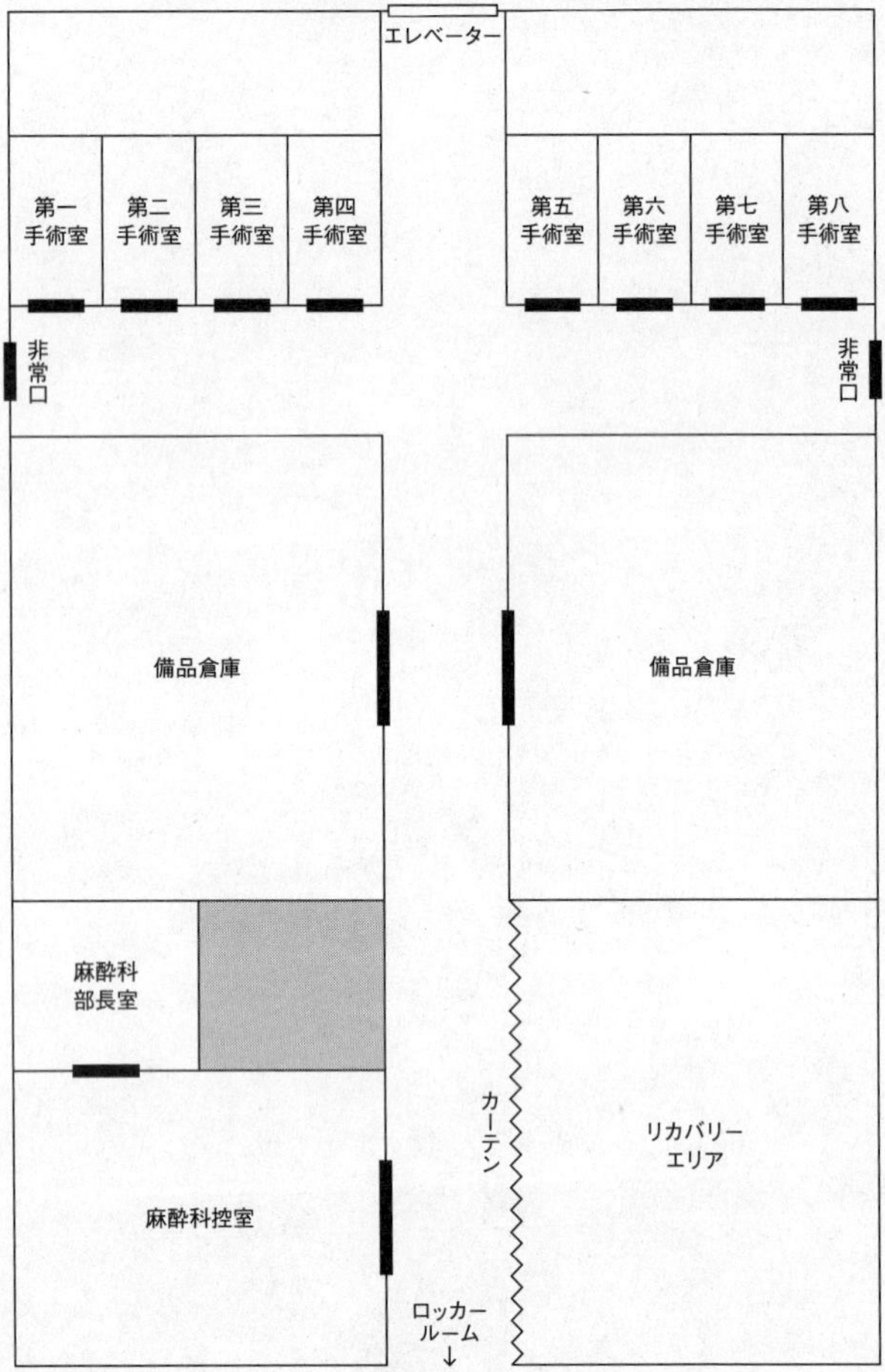

幻影の手術室

Conflict with the Unseen

天久鷹央の事件カルテ

［完全版］

プロローグ

清和《せいわ》総合病院手術部、第八手術室。手術が終了し、弛緩《しかん》した空気が流れるその部屋で、麻酔科医の湯浅春哉《ゆあさはるや》は横目で麻酔器のモニターを見つめていた。

「ん、自発呼吸も出てきてる。そろそろ抜管できそうね」

麻酔科部長の辻野咲江《つじのさきえ》が春哉の肩越しに、手術台の患者を覗《のぞ》き込む。

「はい。予定より少し早く終わりそうです」

春哉が頷《うなず》くと、辻野は「じゃあ、ここはよろしく」と手術室の出入り口に向かった。扉の脇《わき》にあるフットスイッチに足を入れて自動ドアを開き、辻野は手術室から出て行く。

麻酔科部長は手術部の運用を統括する立場だ。自ら麻酔管理を行うことは少なく、ああやって各手術室を巡回しては、手術の進行状況を把握していく。

「俺もそろそろ行くかな」

部屋の隅にいた執刀医の戸隠一平《とがくれいっぺい》が手術帽を脱いだ。まだ四十過ぎだというのに、かなり白髪が目立つ頭が露《あら》わになる。その長身と、遠目からはグレーに見える頭髪、そして渋く整った顔で、一部の看護師に人気のある外科医だった。

戸隠は「麻酔科控室にいる」と手術室をあとにする。手術で助手を務めた若手外科医の八巻亮《やまきりょう》も戸隠に続いた。

手術で器械出しを担当した看護師の秋津野乃花《あきつののか》が、「お疲れ様でーす」とやや舌っ足らずな口調で、出て行く戸隠たちに声をかける。

「予定より早く終わって良かったですね」

野乃花は振り返って、患者の呼吸を確認している春哉に声をかけてくる。

「まあ、虫垂炎の手術で、しかも執刀してくれたのが戸隠先生だしな」

「普通は虫垂炎って、もっと若い先生が執刀しますもんね」

「今回の場合は、一般的な虫垂炎より炎症が強かったんだよ。穿孔《せんこう》して腹腔《ふくくう》内が汚染されている可能性もあったから、戸隠先生が執刀してくれたんだ。腰椎《ようつい》麻酔じゃなくて全身麻酔で手術したのも、穿孔していたら少し大きな手術になる可能性があったからだね」

「穿孔していなくて良かったですね」

春哉が「ああ、本当に」とつぶやくと、野乃花が上目遣いに顔を見てきた。マスクをしているにもかかわらず、笑みを浮かべているのが分かる。

「……なに？」

「この患者さんが湯浅先生のお知り合いだっていう噂《うわさ》、本当なんですか？」

「ああ、そうだよ」誤魔化《ごまか》す必要もないので、春哉はうなずく。

「それじゃあ、外科で一番腕のいい戸隠先生に、この患者さんの執刀を頼み込んだっていうのも本当ですか？　あと、手術の麻酔も自分が担当するって、辻野部長に掛け合ったっていう話も聞いているんですけど」

どこからそんな噂を聞いたんだ？　春哉はマスクの下で唇を歪《ゆが》める。

「どういう『知り合い』なんですか？　なかなか可愛《かわい》らしい子ですよね」

野乃花は手術台で目を閉じている患者に視線を向ける。

「大学の後輩だよ。それだけだ」春哉はかぶりを振った。

「えー、それだけじゃないでしょ。この子を見る湯浅先生の目、たんなる後輩を見る目じゃなかったですよ。実はいい関係だったんじゃないですか？」

脳裏にかつての記憶が蘇《よみがえ》る。いつもエネルギッシュで、自分を振り回し続けた彼女。その遠い昔の記憶を思い出すたび、自然と口元が緩んでしまう。

「どうだっていいだろ。それより、手術器具のチェックは終わったの？　次の手術が控えているんだから、早くしないと辻野先生が怒鳴りこんでくるぞ」

「あれ、誤魔化しました？　大丈夫です、チェックは終わりました」

野乃花がからかうように言うと同時に、患者が体を細かく動かした。麻酔が切れてきたらしい。自発呼吸も強くなってきている。もうすぐ、人工呼吸用の気管内チューブを抜くことができるだろう。

「あっ、そろそろ抜管できそうですね。私はお邪魔みたい」

野乃花は軽い足取りで離れていくと、器具台を押して手術室から出て行く。外からフットスイッチを操作したのか、手術室の扉が閉まっていった。

「お姫様の目を覚まさせるには、なんといっても王子様のキスですよー」

閉まりかけた扉の隙間《すきま》から、野乃花の声が聞こえてきた。

春哉は大きくため息をつく。この病院に来て一年が経《た》つが、威厳がないのか、よく看護師にからかわれている。今回の件でも、当分はいじられそうだ。

まあ、しかたがない。彼女の執刀を戸隠に依頼し、さらに麻酔を担当したいと辻野に頼み込んだことは本当なのだから。

「さて、やるか」春哉は脇に置かれているカートから処置用のゴム手袋を取り、手に嵌《は》めると、目の前の女性の顔を覗き込む。

彼女の目がうっすらと開いていった。

「やあ、目が覚めたかい。手術は無事終わったよ」

春哉は柔らかい声で話しかけた。

＊

「次の手術の入室、予定通り第七手術室に三十分後で大丈夫ですかね」

扉が開き、手術部の看護師長が話しかけてくる。各手術室の巡回を終え、麻酔科医控室のソファーで栄養ドリンクを飲んでいた辻野咲江は、部屋の隅に視線を送った。そこには十個のモニターが並び、八つあるすべての手術室と、それらをつなぐ廊下の監視カメラ映像が映し出されている。

「清掃は終わっても、黒部《くろべ》先生がまだいるじゃない」

第七手術室のモニターには、手術台にもたれかかって手術記録を記載している太った中年男が映っていた。第一外科部長の黒部昭雄《あきお》だ。

「すみません、うちの部長は、手術をやった部屋で記録は書くと決めているもので」

向かい側のソファー席に座った戸隠が、抑揚のない口調で言う。その隣では、卒後四年目の外科医である八巻が、羆《ひぐま》のように大柄な体を縮こめながら座っていた。

術後患者は麻酔が覚めたあと一定時間経過を観察するため、麻酔科控室のそばにあるリカバリーエリアに運ばれてくる。執刀医はそこで一度患者の状態を確認する必要があった。そのため、患者がリカバリーエリアに搬送されるまでの間、手術を終えた外科医は麻酔科控室で時間を潰《つぶ》すことが多い。

「あの癖、迷惑なんだけど。戸隠先生、なんとかならないの？」

「申し訳ありません。けれど、言ったところで部長は聞く耳を持ちません」

はっきりと答えた戸隠の前で、辻野は顔をしかめた。

「けどね、今日の大腸切除術だって、予定よりかなり時間オーバーしているのよ。それなのに、術後も手術室を占領するなんて」

「それなら、私が使った八番手術室を先に使うのはどうですか。簡単な手術だったからほとんど部屋は汚れていないし、麻酔担当はあの湯浅君だ。彼なら腕がいいから、すぐに麻酔を醒《さ》まして部屋を開けてくれます」

戸隠の提案に、辻野は腕を組んで考え出す。看護師長は「手術室が決まったら教えてください。準備しますから」と言い残して部屋から出て行った。

「……最初から第八手術室にすればいいんですよ」

黙って巨体をソファーに沈めていた八巻が、ぼそりとつぶやく。辻野が「どういうこと？」と首をひねると、八巻は皮肉っぽく鼻を鳴らした。

「黒部部長の手術を全部、第八手術室にすればいいんです。あの手術室は『出ます』からね。怪談が苦手なあの人が、居座ることはありませんよ。そういえば、辻野先生も見たんでしたよね。第八手術室の怪奇現象を」

脳裏に不快な記憶が蘇り、辻野は鼻の付け根にしわを寄せる。

「八巻君、そういう話はあまり……」

「あの、辻野先生……」

辻野の説教を、少し離れた位置から上がった声が遮る。見ると、部屋の奥に並ぶデスクの一つで記録の整理をしていた男が、口を半開きにしていた。卒後三年目の麻酔科医である水無月《みなづき》だった。

「ん、どうかした、水無月君？」

「第八手術室が……」水無月は震える指でモニターを指さす。

「第八手術室がどうかしたの？」

辻野は第八手術室を映したモニターを見る。戸隠と八巻もそれに倣《なら》った。モニターには手術室の入り口付近が映っている。

各部屋の監視カメラは、この控室に設置されたレバーによって動かすことができ、部屋の任意の場所を映し出すことができる。いま患者を麻酔から醒ましている湯浅は、監視カメラには映らない場所にいるのだろう。

「いま誰かが変な動きを……」

水無月がつぶやくと同時に、画像の隅に人影が映った。

八巻が「……え？」と戸惑いの声を上げる。その人影は、まるで誰かと取っ組み合っているかのように激しく四肢を動かすと、画面の外に姿を消した。

「いまのは……？」戸隠がソファーから腰を上げる。再び、人影が画面の中に入ってくる。今度は紅潮したその顔をはっきりと見ることができた。

「湯浅先生⁉」水無月が甲高い声を出す。

たしかにそれは湯浅春哉だった。湯浅は誰かを殴りつけているかのように激しく両手を振り、体を勢いよく回転させる。

「いったい、何を……？」戸隠が呆然《ぼうぜん》とつぶやいた。それも当然だ。画面に映っているのは湯浅一人だけなのだから。

見えない『何か』と争っているかのような湯浅の姿が、再び画面の外へと消える。数秒後、喉頭鏡《こうとうきょう》、気管内チューブ、薬剤の入ったシリンジなどが床を滑って画面内に入り込んできた。おそらく、それらを載せていた全身麻酔用カートが倒れたのだろう。

「誰かに……襲われている？」

八巻が震える声でつぶやいた瞬間、画面に映る床に赤い飛沫《しぶき》が飛んだ。その色は、手術部では見慣れたものだった。控室にいる全員が息を吞む。

辻野が呆然とモニターを見つめていると、ふらふらと左右に揺れながら湯浅が画面内に入ってきた。数歩進んだところで、湯浅は膝《ひざ》から崩れ落ちた。

湯浅を中心に、深紅の液体が床に広がっていく。湯浅は両手をついて体を起こすと、目の前に落ちているシリンジを手に取った。

いったい何を？　辻野が戸惑っていると、湯浅は目の前に垂れ下がっている点滴ラインの側管に、震える手でそのシリンジを接続した。

患者に薬剤を投与しようとしている？　辻野が眉根《まゆね》を寄せる前で、モニターの中の湯浅は押し子を押しこもうとする。しかし、薬剤が点滴ラインに流し込まれる前に、シリンジに伸ばしていた手がだらりと下がった。湯浅は顔面から床に倒れると細かく痙攣《けいれん》し、そして動かなくなる。

「な……なんなんだよ、これは！」

モニターに駆け寄った水無月がレバーを操作した。ズームになっていた画像が引いていき、部屋の全体が映し出される。患者が横たわる手術台、麻酔器、倒れた全身麻酔用のカートなどが映し出されていく。

「……嘘《うそ》だろ」水無月がかすれ声でつぶやく。

手術室には湯浅と手術台に横たわる患者以外、誰もいなかった。

「じゃあ、誰が湯浅先生を……？」

水無月がかすれ声でつぶやく。重い沈黙が部屋に降りた。

「行こう。湯浅君を助けないと！」

沈黙を破ったのは戸隠だった。立ち上がると、手術部へと続く扉へと駆け寄り、外に出る。金縛りが解けた辻野も、慌ててその後を追った。

控室を出てすぐの廊下には、備品倉庫やリカバリーエリアが並び、その奥で廊下が十字に交差している。辻野はその十字路で一瞬足を止めた。

廊下をまっすぐ進んだ先には、上の階にあるＩＣＵと繋《つな》がっているエレベーターがあり、左右両側の廊下には、四つずつ手術室の扉が並んでいる。

第八手術室は右側の廊下の一番奥にある。すでに戸隠は第八手術室に向かって走っていた。辻野も廊下を曲がった。八巻や水無月が辻野を追い抜いていく。廊下で器具の片づけをしていた手術看護師の秋津野乃花が、走る辻野たちに不審げな視線を向けてきた。

一番早く第八手術室の前に到着した戸隠が、フットスイッチに足を入れた。鉄製の重い自動扉がゆっくりと開いていく。戸隠は隙間に体をねじ込むようにして、手術室の中に消えていった。続いて八巻と水無月が部屋に入る。

廊下を走りながら、辻野はちらりと横に視線を向ける。隣にある第七手術室の扉の窓から、黒部が部屋の隅で手術記録を書き込んでいるのが見えた。

息を乱しながら第八手術室の前に到着した辻野は、そこで立ちすくむ。

血の海、そうとしか言い表せない惨状だった。細かい血の飛沫が部屋中に飛び散り、その一部は天井にまで及んでいる。もはや微動だにしなくなった湯浅の体の周りには、半径一メートルを超える血だまりができていた。

戸隠たちが俯《うつぶ》せに倒れている湯浅に近づく。スリッパが血だまりを踏むたびに、ぴちゃぴちゃと音が上がった。戸隠、八巻、水無月の三人は血だまりのなかひざまずくと、湯浅の体の下に手を差し込み、その体を仰向けにした。

辻野の口から小さな悲鳴が上がる。湯浅の顔は血で真っ赤に濡《ぬ》れ、喉元《のどもと》はもう一つの口がそこにできたかのように、大きく切り裂かれていた。

息を乱しながら辻野は左右を見回す。麻酔科医として何度も修羅場に立ち会ってきた経験が、いま取るべき行動を教えてくれた。

あった！　十字路近くに置かれている救急カートをみつけ、辻野は廊下を走って戻る。カートに近づいた辻野は、全力でそれを引っ張りはじめた。

近くにいた野乃花が、「どうしたんですか」と小首をかしげる。

「あなたも来て！」辻野は叫ぶと、救急カートを引いて廊下を奥に向かって走った。

第八手術室に戻ると、中では戸隠が湯浅の脈と呼吸を確認し、水無月が喉の傷をガーゼで押さえていた。背後で野乃花の甲高い悲鳴が響く。

「心肺停止している！」戸隠は叫んで心臓マッサージを開始する。

「八巻君、点滴ラインの用意をして！　私が血管を確保するから！」

立ち尽くす八巻に声をかけると、辻野は救急カートから生理食塩水のパックと点滴ラインセットを取り出した。辻野が下手投げで放ったそれらをキャッチした八巻は、慌《あわ》てて点滴パックを天井からぶら下がっているフックに掛ける。

辻野は十八ゲージの点滴針をカートから取り出すと、湯浅の傍らに近づき、膝をつく。ユニフォームに血液が染《し》み込み、生暖かい感触が足に伝わってきた。

何が起こったのか分からない。けれど今は一刻も早く点滴ラインを確保し、アドレナリンを打たなくては。

湯浅の右腕に駆血帯を巻き、その手から処置用手袋を剝《は》ぎ取った辻野は、素早く点滴針を手背《しゅはい》静脈に突き刺した。点滴針の中を血液が逆流してくる。

「血管確保！　ラインをちょうだい！」

駆血帯を外した辻野は、八巻に向かって手を伸ばす。八巻は「はい！」と裏返った声で返事をすると、生理食塩水で満たされた点滴ラインを手渡してくる。辻野は点滴針とラインを素早く接続した。

「全開で流して！」

八巻が速度調整のノブを下げると、生理食塩水が勢いよく手背静脈へと流れ込んでいった。辻野は救急カートから静脈注射用のアドレナリンシリンジを取り出し、それを点滴ラインの側管に接続すると、迷うことなく投与する。

「アドレナリン、一ミリ静注！」

辻野の声に、心臓マッサージを続けている戸隠が「了解！」と返事をする。

いまは何よりアドレナリンの投与が重要だ。カートからアドレナリンのアンプルを数個出し、続いて湯浅の左手を取った時、視界の隅で何かが揺れた。辻野は反射的に顔を上げる。

シリンジ……? 眉間《みけん》にしわが寄る。点滴ラインの側管に、薬剤が入ったままの二十ミリリットルシリンジが接続されていた。そのラインは湯浅の手ではなく、手術台の上に伸びている。手術を受けた患者の点滴ラインだ。

辻野の脳裏に、最後の力を振り絞って側管にシリンジを接続した湯浅の姿が浮かぶ。シリンジに貼《は》られたシールには『ベクロニウム』と記されていた。

ベクロニウム……、筋弛緩薬。なんで湯浅君は患者に筋弛緩薬を投与しようと? 頭に湧《わ》いた疑問で一瞬動きが止まった辻野は、すぐに勢いよく頭を振る。いまはそんなことを考えている場合じゃない。やるべきことをしなくては。

湯浅の左手から手袋を剥ぎ取ってユニフォームのポケットに突っ込み、静脈を穿刺しようと点滴針を手に取ったところで、辻野は体を震わせる。

手術台から顔をのぞかせた女性と目が合って。

健康そうな小麦色の肌。やや幼さを残す愛嬌《あいきょう》のある顔。くっきりとした二重の目が、虚《うつ》ろに辻野を見つめていた。まだ麻酔から覚めたばかりで思考がまとまっていないのだろう。その顔にはわずかに血飛沫が付いていた。

次の瞬間、辻野は息を呑《の》む。彼女が手にしているものを見て。

それはメスだった。手術の際に皮膚切開に使う、この上なく鋭利な刃物。血で赤く濡れたその刃が、蛍光灯の光を妖《あや》しく反射していた。

「あなたは……」辻野は患者のリストバンドに記された名前を見る。

『鴻ノ池舞《こうのいけまい》様』。血が付いたリストバンドには、太い字でそう記されていた。

第一章　透明人間の密室

1

鉄製の重い扉を開くと、春の香りを含んだ風が吹き込んできた。僕、小鳥遊《たかなし》優《ゆう》は深呼吸をしながら屋上に出る。四月に入って最初の金曜日、午後六時を過ぎているというのに外はまだ明るい。日がかなり長くなってきていた。

「疲れたな……」僕はコキコキと首を鳴らす。

人遣いの荒い上司の命令で、金曜は一日中、『レンタル猫の手』として救急部に出向している。今日も朝から午後六時まで、ひっきりなしに搬送されてくる急患の処置に追われた。

さっさと帰って休もう。幸いなことに、いまは担当している入院患者がおらず、週末は病院に来る必要がなかった。久しぶりに羽を伸ばせそうだ。

週末の予定を考えながら、屋上を進んでいく。目の前には、ヨーロッパの童話の中にでも出てきそうな、赤レンガ造りのファンシーな建物が立っていた。僕の上司の住《す》処《か》……というか棲家《すみか》だ。僕のデスクがある小さなプレハブ小屋は、その建物の裏手にある。

東久留米《ひがしくるめ》市全体の地域医療の根幹を担《にな》う天医会《てんいかい》総合病院。六百を超える病床を誇るこの病院に僕が赴任してから、すでに九ヶ月が経ち、新年度に突入していた。

もう九ヶ月か……。屋上を横切りながら、僕はこの九ヶ月の経験を頭の中で反芻《はんすう》する。「宇宙人に攫《さら》われた」と訴える男が起こした殺人事件をはじめ、様々な奇病、難事件、さらには怪奇現象にまで遭遇した。そして、それらを直属の変人上司が鮮やかに解き明かしていく姿を、目《ま》の当たりにしてきた。

よくよく考えると、なんか超常ハンターみたいなことしてるな。たしか、ここには内科の勉強に来ていたはずだけど……。

まあ、そのほとんどが疾患がらみだったので、ある意味、内科医としての勉強をしていたともいえるのかもしれない。

僕は強引に自分を納得させつつ、〝家〟のそばを通過する。その時、勢いよく玄関扉が開き、なかから若草色の手術着を着た小柄な女性が顔を出した。

背中まで伸びる、ウェーブのかかった黒髪。低いが形の良い鼻。猫を彷彿《ほうふつ》させる大きな二重の目。一見すると高校生、場合によっては中学生に見間違われるほどの童顔だが、実のところ二十八歳の立派な成人で、しかも僕の『人遣いの荒い上司』だったりする。

天久《あめく》鷹央《たかお》。僕が所属する統括診断部の部長にして、この病院の副院長。

「小鳥《ことり》、ちょっと来い」

鷹央は笑顔で手招きしてくる。その姿に、頭の中で危険信号がともる。

「今日は付き合いませんからね！」

僕が間髪いれずに言うと、鷹央は「なんだよ、いきなり」と唇を尖《とが》らせた。

「どうせまた、おかしな事件の調査に付き合えっていうんでしょ。今日は一日中、救急業務をしていたんです。さすがに限界ですよ」

鷹央は基本的に、屋上にあるこの〝家〟と、十階の統括診断部の外来を往復するだけで、ほとんど病院外に出ない。しかし、興味を惹《ひ》く『謎《なぞ》』を見つけたときは、冬眠中のクマのような普段の態度が嘘のように活動的になるのだ。そしてその際は、決まって部下である僕が巻き込まれ、苦労することになる。

はっきりと拒絶の意を示した僕に、鷹央はつかつかと近づいてくる。

「な、なんですか」

頭一つ分は背が低い鷹央に睨《ね》め上げられ、思わず身を反らしてしまう。

「ちょっと耳を貸せ」

鷹央は押し殺した声で囁《ささや》きながら、左手の人差し指をくいっと動かした。

僕が「耳？」と腰をかがめた瞬間、鷹央は無造作に僕の右耳を摑《つか》んだ。

「ぐちゃぐちゃ言っていないで、いいからちょっと来い」

「うわ、ちょっと鷹央先生。痛い！　本当に痛いから！」

僕は悲鳴を上げながら、なすすべもなく引きずられていく。

「ほれ、ソファーにでも座ってろ」

〝家〟の中に僕を引っ張り込んだ鷹央は、ようやく耳から手を放した。

「耳がちぎれるかと思ったじゃないですか」僕は痛む耳を押さえながらため息をつく。

「それで、何があったんです？」

これは訳のわからない事件で週末が潰れるパターンだな。ここに来てからの九ヶ月で、何度も同じような経験をしている。もはや僕は、有意義な週末を諦めつつあった。

「違う、今年度の研修医の件だ」

鷹央は高く積まれた〝本の樹〟の間を器用に縫って歩いていく。この部屋には尋常ではない量の鷹央の蔵書がいたるところに積み上げられ、まるで木が生えているかのようになっている。しかも、部屋の主である鷹央が光に過敏なので、常に遮光カーテンが閉められ、最低限の間接照明しか灯《とも》っていない。そのため、赤レンガ造りのファンシーな外見とは対照的に、室内は薄暗く不気味な〝本の森〟と化していた。

「たしかに今週、新しい研修医とか看護師が入ってきましたけど……」

僕が首をひねると、部屋の奥にあるデスクの前まで移動していた鷹央が振り返って、湿った視線を向けてくる。

「なんだよ、小鳥。お前、早くも新人ナースとか女の研修医をチェックしたのか？　こなかけるために」

「していません！」

「まあ、別に止めはしないけど、ほどほどにしておけよ。新しい環境に慣れなくちゃいけない大変な時期なのに、さらにお前をふる労力まで使わせるのはかわいそうだろ」

「なんでふられる前提なんですか！　……少なくともまだ、そんな気にはなれませんよ」

ほんの二週間ほど前、とある事件において、かなり手痛い失恋を経験した。その傷が癒《い》えるまでは、女性に声をかけるような気分にはなれなかった。

「そうか。ちなみに研修医の件っていうのは、二年目の研修医の話だ」

鷹央はデスクの上から、一枚の紙を手に取る。

「今年、選択でうちの科をローテートする研修医がいるぞ」

「え？　本当ですか？」思わず身を乗り出してしまう。

天医会総合病院の研修プログラムでは、最初の一年は決まった科を回ることになっているが、二年目の数ヶ月は『選択科』として自分の希望する科で研修を受けることができる。統括診断部は去年までは研修医を受け入れていなかったのだが、今年度から受け入れを開始していた。

けれど、本当に選択する研修医がいるとはな。医局員は鷹央と僕の二人だけ、しかも入院ベッドの数も少ない統括診断部は、研修医に存在自体あまり認知されていない。誰も選択しないだろうと思い込んでいた。

現在、処方・注射箋《せん》書き、検査の予約、入退院の手続き等々、統括診断部の雑務は僕が一手に担っている。そのため、入院患者が多い時期は目が回るほど忙しい。もし研修医が来てくれたら、それらを分担することができる。

「ちなみに、うちの科を選択した研修医って何人いるんですか？」

「一人だけだ。そいつが今年度の後半、四ヶ月来ることになっている」

「四ヶ月もですか⁉」

つまり、研修先を選択できる期間の大半を、統括診断部に費やすということだ。よっぽどうちの科に興味があるらしい。

そこまで考えたところで、ふと背中に寒気をおぼえ、僕は体を震わせる。

「あの……、鷹央先生。つかぬことをお伺いしますが、うちにローテートしてくるその研修医って、誰ですか？」

鷹央は一枚の用紙を手にして近づいてくると、それを差し出した。おずおずと紙を受け取った僕は視線を落とす。そこには今年度の全研修医の研修先を、期間ごとに記した表が印刷されていた。鷹央の言うとおり、その中の一人が四ヶ月間、統括診断部で研修を受けることになっている。

「却下です！」研修医の名前を確認した瞬間、僕は声を張り上げた。

「何言っているんだ、お前？」鷹央は不思議そうにまばたきをする。

「こいつはだめです。こいつだけは！」

僕は用紙に記された『鴻ノ池舞《こうのいけまい》』の名を指さす。

「舞のなにが不満なんだよ？」

「あらゆるところです！」

鴻ノ池舞は、僕の天敵だった。人当たりのいい性格でかなり優秀なため、上級医受けの良い研修医なのだが、僕に対しては少々馴《な》れ馴れしすぎる（というか明らかに舐《な》めている）ふしがある。

そう言えば去年あいつ、「来年の選択研修、統括診断部を選びますね」とか言っていたっけ。てっきり単なるリップサービスだと思っていたのに……。

最初は鷹央しか使っていなかった『小鳥』というあだ名を、病院中に広めたのもあいつだ。しかも、僕と鷹央が恋人同士であるという噂を流したうえ、何かにつけてその噂を現実のものにしようと暗躍している。この病院に来てから僕に春が来ないのも、きっと半分ぐらいはあいつのせいだ。

変人上司のお守りだけでもグロッキーだというのに、そのうえ鴻ノ池までうちの科に来たら……。冷たい汗が背中を伝っていく。

「だめもなにも、もう決定事項だ。いまさら変更なんてできないぞ」

鷹央が呆《あき》れ声で言うのを聞いて、僕はがくりと頭を垂れた。そんな僕を尻目《しりめ》に、鷹央は上機嫌に鼻歌を歌いはじめる。

「これでうまくいけば、来年度には舞がうちに入局して三人態勢になる。そうやって医局員を増やしていけば、診療体制を拡大していけるぞ」

「そんなこと考えていたんですか?」

てっきり鷹央は、科の規模を大きくすることなどには、無関心だと思っていた。

「何言っているんだ、診療体制を拡大すれば多くの患者を診られる。患者の母集団が大きくなれば、それだけ面白い症例がやってくる確率が高くなる」

鷹央の目が薄暗い部屋の中できらきらと輝いた。

ああ、そういうことか。僕は納得する。無限の好奇心と超人的な知能を併せ持つ鷹央は、常にその超高性能の頭を使うに足る『謎』を求めている。統括診断部の規模が大きくなり、診察できる患者の数が増える。それはすなわち、摩訶《まか》不思議な症状を呈し、他の科に匙《さじ》を投げられて送られてくる患者たちの『疾患』を解き明かすチャンスが増えるということだ。

勝手に『謎』が集まってくる環境、それこそが鷹央の求めるものなのだろう。

「それに、部下が増えれば、外の事件の調査とかするときに便利だからな」

鷹央が付け足した言葉を聞いて、僕は顔をしかめる。

鷹央は奇怪な症状を呈した患者の診断だけでは飽き足らず、たびたび病院外の事件にまで首を突っ込んでいる。そのたびに僕は、事件現場への足や、関係者への聞き込みなど、医者とは思えない仕事を引き受ける羽目になるのだ。

「院外の事件にかかわるのはやめてくださいっていつも言っているでしょ」

「お前がここに勤めていられるのは、私が『院外の事件』を解決してやったからだぞ」

鷹央はくいっと得意げにあごを反らす。その通りなので、反論できなかった。一ヶ月ほど前、鷹央が『密室での溺死《できし》事件』の真相を暴《あば》かなければ、僕は大学医局に呼び戻され、統括診断部での勤務を続けることはできなかった。

「それはそうですけど……。ちなみに、話っていうのは鴻ノ池のことだけですか？

事件が起こったからどこかに連れて行けとか、そういうんじゃないんですね？」

僕が用紙を返すと、鷹央は満面の笑みで頷いた。

どうやら、鴻ノ池が回ってくることが嬉《うれ》しくて、それを伝えたかっただけらしい。

この統括診断部は、ちょうど二年前、鷹央が初期研修を終えたのを機に作られた新しい診療科だ。鷹央の父親である当時の病院長が、「鷹央の知能を最も効果的に発揮するために」と、周囲の反対を押し切り立ち上げたらしい。

しかし、設立してから僕が派遣されてきた去年の七月まで、統括診断部は機能不全に陥っていた。空気を読むという能力が皆無で、人間関係を構築することに難がある鷹央は、大学から派遣されてくる医師とことごとくそりが合わず、すぐに追い返していたのだ。

派遣されてきた当初は僕も、この変人上司の言動に戸惑い、何度もぶつかった。しかし、ともに仕事をし、そしていくつもの事件を解決していくうちに打ち解けてきて、いまはそれなりにうまくやっている。

僕のサポートもあって、その類《たぐい》まれなる知能を余すところなく発揮できる『統括診断部』は、鷹央にとって授かった能力を社会に還元できるシステムであると同時に、唯一《ゆいいつ》の居場所なのだろう。それが大きくなっていくことを喜ぶのは当然のことだ。無意識に、僕の口元も緩んでしまう。

「しかし鴻ノ池のやつ、この前救急当直で会ったときには、うちに回ってくるなんて一言も言っていなかったのに。明日にでも文句言ってやらないと」

「ん、知らないのか？　舞なら一昨日から休んでいるぞ」

「休んでいる？　何でですか？」

「深夜に腹が痛くなって救急受診したら、虫垂炎でそのまま入院だってよ。昨日、本人から連絡があった。最初は抗生剤の投与で様子を見ていたけど、炎症が抑えきれないんで、今日手術らしいぞ」

「手術？　え、うちの病院でですか？」

「いや、清和総合病院だってよ」

清和総合病院は、東久留米市の隣、西東京市にある総合病院だった。

「なんで清和に受診したんですか？　うちで診てもらえばよかったのに」

「そんなの私に聞くなよ。午後一時から執刀だって言っていたから、今頃はもう終わっているだろうな」

「そうですか。しかし、あの鴻ノ池がなあ……」

いつもエネルギッシュに病棟を走り回っている鴻ノ池が入院とは、いまいちイメージが湧いてこない。

「まあ、虫垂炎なら一週間もすれば復帰できるだろ。本人も昨日、『はやく復帰して、また小鳥先生からかいたいです』とか、元気そうに言っていたぞ」

「あいつ……」一瞬でも心配したことを後悔しつつ、壁時計に視線を向けると、時刻は午後六時半を回っていた。いつの間にか話し込んでしまった。

「それじゃあ鷹央先生、僕はそろそろ帰りますね」

僕はソファーから立ち上がり、玄関に向かう。背中から「おう、またな」という鷹央の声が追いかけてきた。

貴重な週末が潰れてしまうのではと危惧《きぐ》していたが、どうやらそれは避けられそうだ。さて、明日はなにをしようか。

扉に手を伸ばしたとき、腰辺りからジャズミュージックが響いた。僕は救急部ユニフォームのポケットに手を入れ、スマートフォンを取り出す。液晶画面に表示されている名前に眉根が寄る。そこには、『成瀬《なるせ》刑事』と表示されていた。

成瀬隆哉《りゅうや》は田無《たなし》署刑事課に所属する刑事だった。これまで鷹央が解決したいくつかの事件で顔を合わせ、知り合いになっているが、普段電話をするような仲ではない。悪い予感が胸に湧いてくる。

「どうした、出ないのか?」鷹央が訝《いぶか》しげに言う。

「いや、成瀬さんからの電話なんですよ」

「成瀬？　あの男がいったい何の用……。お前まさか、あまりにも女にフラれ続けているからって、まさか男と？」

「違う！」鷹央を一喝すると、僕は通話ボタンに触れる。「もしもし……」

「どうも、小鳥遊先生。田無署の成瀬です。そちらに天久先生はおられますか」

電話から陰鬱《いんうつ》な声が聞こえてくる。

「いや、いますけど……。鷹央先生に用事があるなら、直接電話をかければいいじゃないですか。電話番号知っていますよね」

僕が文句を言うと、成瀬は黙り込んだ。まあ、気持ちは分からなくはない。

警察が捜査している事件にずうずうしく首を突っ込む鷹央に、成瀬はいい感情を抱いていない。しかし、警察ですら真相が分からず困惑していた事件を、鷹央はいくつも鮮やかに解決していた。

気にいらないが、事件解決のためには利用しない手はない。そんな複雑な気持ちが、直接連絡を取ることを成瀬にためらわせているのだろう。

「まあ、それはいいとして、いったい何の用ですか？」

成瀬に訊《たず》ねると、鷹央がすすっとすぐそばまで近づいてきた。この距離なら、常人より聴覚の鋭い鷹央には成瀬の声が聞こえるだろう。

「よく分からない事件が起きたんですよ。それで一応、天久先生にお伝えしておこうと思いましてね」

成瀬がそう言った瞬間、鷹央の口角がにっと上がった。

……有意義な週末よ、さようなら。僕が天井を仰いでいると、鷹央がジャンプして僕の手からスマートフォンをもぎ取った。

「それで、どんな事件なんだ⁉」嬉々《きき》として鷹央が訊ねる。

「ああ、天久先生ですか。……どうも」

鷹央が奪った拍子にスピーカーモードになったのか、つまらなそうな成瀬の声が部屋に響いた。鷹央は慌てて耳からスマートフォンを離す。

「事件の目撃者はですね。なんというか……『透明人間』が人を襲ったみたいに見えたと言っています」

「透明人間⁉」鷹央が目を見開き、歓喜の声を上げる。

「透明人間が人を襲うって、どういう状況ですか？」意味が分からず僕は訊ねる。

「さあ、まだ現場検証が終わったばかりで、詳しいことは分かりません。、透明人間なんて馬鹿《ばか》なこと、俺たちは信じていませんよ」ちゃんと容疑者もいますから
その人物が犯人ですよ。……それ以外にありえない」

成瀬の低い声を聞いて、僕は疑問をおぼえる。

「有力な容疑者がいるのに、なんでわざわざ僕たちに連絡してきたんですか。鷹央先生が事件に首を突っ込むの、成瀬さんは嫌がっていたじゃないですか」

「事件に首を突っ込んで欲しくて連絡したんじゃありません。その容疑者があなた方のお知り合いらしいんで、一応連絡を入れておこうと思っただけです」

「知り合い？　僕たちの？」

僕が聞き返すと、成瀬は陰鬱な口調でつぶやいた。

「はい。容疑者はそちらの病院の研修医、鴻ノ池舞です」

駐車場に愛車のRX－8を停めると、僕は鷹央とともに素早く車外に出る。成瀬から連絡を受けてすぐ、僕たちは車を飛ばし、十五分ほどで清和総合病院へとやってきていた。

鷹央とともに駐車場を横切った僕は、足を止めて頬を引きつらせる。八階建ての清和総合病院の正面を取り囲むように、パトカーが十台近く停まっていた。病院の入り口付近には規制線が張られ、制服警官が人の出入りを制限している。

成瀬は「放っておくと、あなたたちがまた出しゃばってくるだろうから、予《あらかじ》め連絡をしました。今回は大人しくしていてください」と言うだけで、事件の詳細は教えてくれていなかった。しかし、この病院で大事件が起きたのは間違いない。

規制線の前に出来た人垣の後ろで、僕たちは足を止める。

「ただいま、病院内への入場は制限させていただいています。病院関係者の方は裏口にお回りください。身分証明書を確認のうえ、入館していただきます」

制服警官と病院職員らしき人物が、規制線の奥で声を上げている。

「入るのは難しそうですね。どうしましょう?」

僕が訊ねると、鷹央はその場で回れ右して、大股に歩きだした。

「鷹央先生、どこに?」

隣に並んだ僕の問いに答えることなく、鷹央は建物を裏口へと向かう。そこには短い列ができ、入館しようとしている人々が二人の警備員に職員証を示していた。鷹央は列に並ぶこともせず、警備員のわきを通過しようとする。

「あっ、ちょっと待ってください。ちゃんと並んで」

でっぷりと太った中年警備員が、慌てて鷹央を止める。列を作って並んでいた人々も、非難の視線を鷹央に向けた。

「邪魔だ。いいからさっさと入れろ」

鷹央に睨め上げられ、警備員の表情がゆがんだ。

「みんな並んでいるんです。職員証を準備して列の一番後ろに……」

「私はここの職員じゃない」鷹央の声が警備員のセリフを遮る。

「職員じゃない? じゃあ、患者さんの家族とかですか?」

「ちがう、患者の家族でもない」

「それ以外の人は、いまは院内に入れないんですよ。あなた野次馬ですか？　それなら、さっさと消えてくれ」警備員は虫でも追い払うように手を振った。

辺りに漂う不穏な空気に、僕は慌てて鷹央の耳元で囁く。

「鷹央先生、とりあえずここはいったん引きましょう」

しかし、鷹央は動くことなく、唇の片端を皮肉っぽく上げた。

「私はこの病院の院長の知り合いだ。院長の袴田《はかまだ》に呼ばれて来たんだ。お前ら、院長の客をこんなところで足止めするのか？」

「院長の？」警備員が訝しげにつぶやく。

鷹央は羽織っているスプリングコートのポケットから天医会総合病院の職員証を取り出し、警備員の眼前に突きつけた。

「私は天久鷹央、天医会総合病院の副院長だ。今晩、この病院の院長の袴田と会う約束がある。疑うならさっさと袴田に連絡して確認しろ」

警備員は職員証を数秒間凝視したあと、「確認しますので、少々お待ちください！」と警備員室の中に入っていった。

数分後、警備員はあごの脂肪を揺らしながら戻ってきた。

「確認が取れました。入っていただいて結構です」

鷹央の前で直立不動になった警備員は、上ずった声で言う。

「分かればいいんだ。ほれ、小鳥行くぞ。ああ、こいつは私の部下で、金魚のフンみたいな奴《やつ》だ。こいつも一緒に院長に会う予定だから入れてもらうぞ」

鷹央は親指で僕をさしながら警備員に言う。

金魚のフン⁉　目を剝《む》く僕を置いて、鷹央は進んでいった。あとを追って院内に入った僕は「誰が金魚のフンですか？」と抗議するが、鷹央はどこ吹く風で手を振る。

「だってお前、私が外に事件を調べに行くとき、いつも後ろについてきているだろ。そういうのを『金魚のフンみたいだ』って言うんだぞ」

好きでついてきているわけじゃない。あなたを一人にすると何をしでかすか分からないから、仕方ないのだ。僕は唇をへの字にしながら、鷹央と並んで歩いていく。

「……鷹央先生って、この病院の院長と知り合いなんですか？」

「私の親父《おやじ》と仲が良かったんだ。近所の病院だから、色々な会合で顔を合わせていたらしい。私も子供の頃、何度かここに連れてこられて、顔見知りになった。私が会いに来たっていえば、あいつは間違いなく通してくれると思ったんだ」

制服警官が行き交う外来待合を抜けた僕たちは、エレベーターに乗り込んだ。

「手術部は三階だな」案内を見上げながら、鷹央は『3』のボタンを押す。

事件の詳細は話してはくれなかった成瀬だが、事件が起こった場所が手術室だということだけは教えてくれていた。

三階に着き、エレベーターから降りた僕たちは、そこで立ち止まる。

数メートル先に『手術エリア（清潔）』と記された自動扉がある。その前には黄色い規制線が張られ、制服警官が二人、門番のように立ちはだかっていた。

鷹央は大股に規制線に近づいていく。

「すみません。ここから先にはいけません」警官の一人が制止の声を上げた。

「私たちは医者だ。手術室に入る必要があるんだ」

鷹央は声を張り上げる。たしかに（この病院のではないが）医者であるのも、（事件について情報を集めるために）手術室に入る必要があるのも嘘ではない。しかし、よくそんなに堂々とできるものだ。

「医師の方でも中に入ることはできません。ご了承ください」

警官は慇懃《いんぎん》ながら、迷いのない口調で言う。おそらく、まだ鑑識が捜査をしているのだろう。事件が起こってすぐの現場では、鑑識の捜査が最優先とされ、刑事すら現場に入れないことも多いらしい。これはいくら鷹央でも、手術部に入ることはできなさそうだ。

「鷹央先生、鑑識が調べ終わるまで、現場を見るのは難しいですよ。それよりまず、鴻ノ池の状況を確認しましょう」

僕が耳打ちすると、鷹央は唇を尖らせながら、「分かったよ」と頷いた。

僕たちは再びエレベーターに乗り、外科の病床がある五階病棟へ向かった。

「鴻ノ池舞はどこだ？」

エレベーターを降り、正面にあるナースステーションに近づいた鷹央は、声を張り上げる。中で働いていた看護師たちが、一斉に振り向いてこちらを見た。

「あの、どちら様でしょうか？」

近くにいた中年の看護師が、警戒心をあらわにしつつ訊ねてくる。

「舞の友人だ。あいつはどこにいるんだ？」

鷹央の回答を聞いて、看護師の顔に浮かんだ警戒の濃度が上昇する。

「申し訳ありませんが、本日のご面会時間は普段より少し早く終了しているんです。もう面会はできません」

「手術部でなにか事件があったせいだろ。その話を聞きたくて、舞に会いに来たんだ。早く病室を教えろ」鷹央の口調に苛立《いらだ》ちが滲《にじ》む。

「あなた、本当に鴻ノ池さんの知り合い？　記者かなんかじゃないの？」

看護師から疑いの目を向けられた鷹央は、ポケットにしまっていた天医会総合病院の職員証を取り出すと、看護師の眼前に突き付けた。

「私は天医会総合病院の副院長だ。鴻ノ池はうちの病院で研修医として働いている。これでも知り合いじゃないって言うのか？」

この付近で最大規模の病院の副院長と聞いて、看護師の顔に動揺が浮かぶ。鷹央は看護師にずいっと顔を近づけると、「さっさと舞に会わせろ」と迫った。

「だ、ダメです。警察の指示なんです。鴻ノ池さんには、家族以外は誰も面会させないようにって。だから、私たちにはどうしようもないんです！」

看護師のセリフを聞いて僕は口元に力を込める。警察がそこまでするということは、かなり強い嫌疑がかかっているということだ。この九ヶ月、鷹央とともにいくつもの事件にかかわってきた経験が、事態の深刻さを予感させる。

看護師と睨みあっていた鷹央がふと視線をずらした。つられて僕も、鷹央の視線が注がれている場所、ナースステーションの奥のホワイトボードを見る。それは入院患者の一覧表のようだった。鷹央の口角がゆっくりと上がっていく。

ホワイトボードに書かれた文字はかなり小さく、しかも距離があるため、僕には何が書かれているか分からない。しかし、鷹央は視覚や聴覚が常人よりかなり発達している。あれくらいの文字なら、苦もなく読み取るだろう。

「小鳥、行くぞ！」鷹央は走り出した。どうやら鴻ノ池の病室が分かったらしい。

「あっ、ダメです！」

看護師が泡を食って声をかけるが、鷹央が止まることはなかった。看護師は慌てて内線電話の受話器を上げる。警備員にでも連絡しているのかもしれない。

ああ、やっぱりトラブルになるのか……。僕は顔をしかめると、鷹央の後を追って走り出した。運動神経が絶望的に悪く、不格好なフォームで走る鷹央に、僕はすぐに追いついた。僕たちは並んで廊下の角を曲がる。

「ナースステーションの反対側にある個室病室だ」鷹央が声を張り上げる。

廊下は病棟を取り囲むように一周しているようだ。ナースステーションから一番離れた病室に、鴻ノ池は入院しているらしい。

「あそこの角を曲がってすぐのところだ。そこに舞はいる」

鷹央は十メートルほど先の曲がり角を指さした。並んで廊下を折れた瞬間、僕たちは足を止める。急ブレーキにバランスを崩し、倒れそうになる鷹央の体を支えながら、僕は鼻の付け根にしわを寄せた。

廊下には個室病室の扉が六つ並んでいた。手前から三つ目の扉の前にスーツ姿の体格のいい男が立っている。見知った男だった。田無署の刑事、成瀬。

「……やっぱり来た」成瀬はこれ見よがしに大きなため息をついた。

「お前が呼んだから来たんだ」鷹央は成瀬に近づいていく。

「お忘れですか、天久先生。呼んでなんていませんよ。『あなたのところの研修医が容疑者になったけど、こちらでしっかり捜査をするから、くれぐれも首を突っ込まないでくれ』。俺はそう言ったんです」

成瀬が言うと、鷹央は不思議そうな表情を浮かべて振り返る。

「そんなこと言っていたか？」

どうやら、鴻ノ池が容疑者になったことと、『透明人間』というキーワードで頭がいっぱいで、耳に入っていなかったらしい。

「たしかに言っていました。絶対に押しかけたりしないでくれって」

「連絡しないと、あなたが押しかけると思ったから、前もって釘《くぎ》を刺したんですよ。まったく、連絡して一時間もしないうちにやって来るなんて……。なんにせよ、さっさとお引き取りください」成瀬は大きくかぶりを振った。

「舞は逮捕されたのか？」鷹央は成瀬に鋭い眼差《まなざ》しを向ける。

「……いえ、逮捕なんかしていません」

「逮捕されたわけじゃないなら、警察に面会を止める権利はない。どけ」

「そういうわけにはいきません」

わきをすり抜けようとした鷹央を、成瀬は両手を開いて止める。

「お前はなんの権限で邪魔をするんだ⁉」鷹央は嚙《か》みつくように言った。

「面会を止めているのは私ではありません。主治医です」

鷹央は「主治医？」と、訝しげに聞き返す。

「ええ、そうです。鴻ノ池舞さんはまだ手術を受けたばかりで、体調がすぐれません。

ですから、主治医が面会謝絶にしているんです」

「舞が受けた手術は虫垂切除術だぞ。一時間もかからない簡単な手術だ。それくらいで、面会謝絶なんかになるはずないだろ」

「体じゃなくて、心の問題ですよ」成瀬は皮肉っぽく言う。「鴻ノ池さんは今回の事件でかなり強いショックを受けて、不安定になっているんです」

不安定？　過酷な研修医の勤務も弱音一つ吐かず、笑顔でこなしてきた鴻ノ池が？

「どうせ、面会謝絶にするように、お前らが主治医に交渉したんだろ。そうしないと、マスコミが押しかけるとでも言って」鷹央が鼻を鳴らした。

成瀬は上半身を前傾させて、覆《おお》いかぶさるように鷹央に顔を近づける。

「天久先生、鴻ノ池舞さんが精神的に強いショックを受けているのは本当なんですよ。まだ、私たちも話を聞けないぐらいなんです」

鷹央の表情に動揺が走る。その隙を逃すことなく、成瀬はたたみかけてきた。

「あと、面会謝絶にしたのはマスコミ対策もありますけど、一番の理由はあなたと接触させないためです。首を突っ込ませたくないんですよ。鴻ノ池さんのためにもね」

「舞のためにも？　どういうことだ？」

「今回の事件、おそらく……コロシです」

コロシ、つまりは殺人事件。うっすらと予想はしていたが、実際に刑事の口から伝えられると、その実感がずっしりと背中にのしかかってくる。

「詳しいことは教えられませんが、手術室で麻酔科医が首を切られて死亡しました。そして状況から見て、犯行が可能だったのは鴻ノ池舞さんだけです」

「だから、私が現場を見て、本当にそうなのか確認を……」

「話は最後まで聞いてくださいよ」成瀬が鷹央のセリフを遮る。「ただですね、関係者たちの話を聞くと、色々と不可解な状況が出てきているんですよ」

「さっき言っていた『透明人間』のことか？」

鷹央が間髪いれずに言う。成瀬は顔をしかめた。そのキーワードを口にして鷹央の興味を惹いてしまったことを後悔しているのだろう。

「その不可解な状況とやらを、私が解き明かしてやるって言っているんだ。これまで、警察に解けなかった事件の真相を私が見破ってきたのを、お前は何度も見てきただろ」

「今回の事件、おそらく捜査本部が立ちます」成瀬は押し殺した声で言う。

「……殺人事件で不可解な状況なんだから、まあ当然だろうな。それがどうしたっていうんだ？」鷹央は眉根を寄せる。

「先ほど、警視庁捜査一課殺人班の管理官が、状況の確認に来ました。その管理官が言ったんです。『天久鷹央とかいう人物をこの件にかかわらせるな』と」

鷹央の表情に驚きが走る。そして、驚いているのは僕も同じだった。まさか、名指しで指示が下っているとは。

「ご存知かもしれませんが、警視庁捜査一課には十六の殺人班があります。その上に管理官がいて、一人につき二つほどの殺人班を管理しています。殺人事件で捜査本部が立つと、十六の殺人班のうちの一つが捜査にあたり、その殺人班を担当している管理官が捜査の指揮を執ります」

成瀬は硬い表情で説明をはじめる。統括診断部に赴任してからというもの警察にかかわることが多かったので、そのあたりの知識は僕にもあった。

「この数ヶ月で天久先生は、捜査本部が立つような大きな事件を立て続けに解決してきた。警視庁捜査一課内で、あなたはかなりの有名人です。けれど、素人《しろうと》が事件を解決することを面白く思わない捜査員も少なくありません。……正直申し上げて、私もそうです」

鷹央は口を固く結んだまま、成瀬の説明を聞く。

「捜査一課長や桜井《さくらい》さんなどは、あなたに対してそれなりに好意的です。けれど、今回の事件を担当予定の管理官はそうではありません。部外者であるあなたを絶対に捜査にかかわらせないようにと、厳命しました」

「なにかおかしなことが起こっているんだろ？　私の意見を求めたいから、連絡してきたんじゃないのか？」

鷹央が身を乗り出すと、成瀬は苦虫をかみつぶしたような表情を浮かべる。

「何度も言いますが、俺が連絡したのは、首を突っ込まないよう釘を刺すためです。おかしなことが起きたことまで伝えたのは、口が滑っただけです」

「無意識にでも口にしたということは、私じゃないと今回の事件は解決できないかもしれないと思っているんだ。警察の面子《メンツ》だけで私を排除するなんて馬鹿げている」

「面子だけじゃありません！」成瀬は腹の底に響くような声で言う。「今回の容疑者はあなたの知り合いだ。もしあなたが首を突っ込めば、捜査の公平性が著しく損なわれる」

「私が舞を助けるために、何か小細工をして真実を歪めるっていうのか⁉」

鷹央は成瀬を睨《にら》みつける。その小さな体から怒気が立ち上っていた。

鷹央はこれまで、自らの超人的な知能を使って真実を暴くことを生きがいにしてきた。たとえそれが、どれだけ残酷な真実でも。それだけに、成瀬が口にした疑惑は鷹央のプライドを大きく傷つけたのだろう。

僕ははらはらしながら、視線をぶつけ合う鷹央と成瀬を見守る。

「……天久先生。あなたが実際になにかするかどうかは、問題じゃないんですよ」

成瀬は淡々と話しはじめる。

「問題は、そういった疑いを持つ者がいるっていうことです。捜査の公平性に疑念が生じれば、たとえあなたの知り合いが無実だったという捜査結果が出ても、それすら疑われることになりかねない」

たしかにそうだ。成瀬の説明は論理的で、警察の対応としては当然のものだった。

「なんにしろ、この病院の医療関係者以外の人物は、この部屋には入れません。どうぞお引き取りください」

成瀬は慇懃無礼に言うが、鷹央は動かなかった。周囲の空気が張り詰めていく。

「やあやあ、鷹央ちゃんじゃないか。久しぶりだねぇ」

背後から聞こえてきた陽気な声が、あたりに満ちていた重い沈黙を破る。振り返ると、杖《つえ》をついた初老の男が、少し離れた場所で笑みを浮かべていた。

染め上げたかのように見事な白髪のその男は、細かく杖を動かしながら近づいてきた。

「袴田……」

面倒くさそうな鷹央のつぶやきを聞いて、僕は男の正体に気づく。鷹央の知り合いだというこの病院の院長だ。

「鷹央ちゃん久しぶり。ずいぶん見ないうちに、大きく……はなっていないか」

近づいてきた袴田は、鷹央の頭をくしゃくしゃと撫《な》ではじめた。

「やめろ。髪が乱れる」鷹央は苛立たしげに両手を振る。

「まったくこんな所で何をしているんだい。私に会いに来てくれたっていうから、院長室で待っていたんだよ。そうしたら、警備員室から鷹央ちゃんがこの病棟で騒いでるって連絡が来てね」

　さっき鷹央と話をした看護師が、警備員室に連絡をしたのだろう。そして警備員室から院長に報告がいったというところか。

「刑事さん、どうもお疲れ様です。それじゃあ、鷹央ちゃん行こうか」

　成瀬に声をかけた袴田は、鷹央の手首を摑むと引っ張りはじめた。

「あっ、ちょっと待て。私はまだ成瀬に話が……。こら、引っ張るな……」

　騒ぎながら、鷹央はずるずると引きずられていく。

「あ、えっと……。それじゃあ成瀬さん、また」

　毒気を抜かれた表情の成瀬に声をかけると、僕は二人のあとを追ったのだった。


「それで鷹央ちゃん、私になんの用なのかな？」

　対面のソファー席に腰掛けた袴田が、柔らかい笑みを浮かべながら訊ねてくる。いかにも好々爺《こうこうや》といった雰囲気だが、さっき鷹央を強引に引っ張っていった様子を見ると、なかなか強引な人物のようだ。まあ、そうでなければ、四百床クラスの大病院の院長など務まらないだろう。

「だから、べつにお前に会いに来たわけじゃない」

ふて腐れた態度で、鷹央はローテーブルに置かれたペットボトルのお茶を飲む。鷹央と僕は袴田に連れられ、八階にある院長室にやって来ていた。

「相変わらずつれないなぁ。せっかく久しぶりに会ったっていうのに。そうだ、鷹央ちゃん。美味《おい》しいシュークリームがあるんだけど、食べるかい？　鷹央ちゃん昔、よくシュークリーム食べていただろ。口が小さいのに慌ててかぶりつくから、いつも口の周りがクリームだらけに……」

「いつの話だ！　もう私は二十八だ。子供扱いするな！」鷹央は顔を紅潮させる。

「ごめんごめん、鷹央ちゃんあんまり外見が変わらないから、ついね。それじゃあ、シュークリームはいらないかな？」

「いるに決まっているだろ！」

間髪いれずに鷹央が言う。袴田は満足げに頷くとソファーから立ち上がり、部屋の隅に置かれている小型の冷蔵庫に近づいていった。

僕が小声で「子供じゃん」と突っ込みを入れると、鷹央は「なにか言ったか？」と横目でにらんできた。相変わらずの地獄耳だ。

「いえいえ、なにも」僕は慌てて胸の前で両手をふる。

「はい、どうぞ」

袴田がシュークリームが載った皿を僕と鷹央の前に置く。満面の笑みを浮かべた鷹央は、両手でシュークリームを摑むと、勢いよくかぶりつきはじめた。すぐに口の周りがカスタードクリームだらけになる。

……やっぱり子供じゃないか。僕は呆れつつ、袴田に会釈《えしゃく》した。

「すみません、突然に押しかけてしまって」

「いやいや、いいんだよ」

袴田は目を細めて、シュークリームを食べる鷹央を眺める。同年代や少し年上の者からは反発を受けやすい鷹央だが、どういうわけか年配の者からは可愛がられる傾向にある。わがままな孫娘でも見ているような感覚なのだろう。

「それで……、えっと、小鳥先生だったかな？」

「……小鳥遊です」

例のごとく、鷹央が僕のことを「部下の小鳥だ」と紹介したので、さっきから何度も袴田に名前を間違えられていた。

「ああ、失礼。小鳥遊先生。なにか私に聞きたいことがあるんじゃないかな？」

袴田の目つきが好々爺のものから、大病院を仕切る責任者のものへと変化していた。

僕は姿勢を正す。

「今日、この病院で事件があったと聞いています」

僕は言葉を選びながら訊ねる。いくら鷹央を可愛がっているといっても、自分の病院内で起きた事件に、首を突っ込まれたくはないかもしれない。

「ああ、数時間前にうちの麻酔科医が手術室で死んだ。どうやら殺されたらしい。そして容疑者は、君たちが勤める天医会総合病院の研修医だ。その情報を聞きつけたからこそ、君たちは調査のためにこの病院に乗り込んできた。そうだね？」

「いえ、別に調査をしようというわけでは……。ただ鴻ノ池の、……容疑をかけられている研修医の様子を見に来ただけで」

「本当にそれだけかな？ この数ヶ月、鷹央ちゃんが部下のドクターと一緒に不思議な事件をいくつも解決しているっていう噂を聞いているんだよ。まだ詳しいことは知らないが、今日起きた事件も、なにやら不可思議な状況になっているらしい。好奇心の旺盛な鷹央ちゃんなら、自分で事件を解決して、その研修医の容疑を晴らしたいと思うんじゃないかな？」

袴田の完璧《かんぺき》な読みに、僕は言葉に詰まる。

「死んだ麻酔科医は知っている奴だったのか？」

無言だった鷹央が訊ねる。シュークリームを食べ終えたらしい。表情は引き締まっているが、口元がクリームまみれなので、なんとも間抜けに見えた。

「もちろん知っていたよ。私はこの病院のドクター全員を知っている」

僕が「クリームの口紅が付いていますよ」とハンカチで鷹央の口元をぬぐいはじめたとき、袴田がふっと表情を緩めて答えた。

「どんな男だったんだ？」

「湯浅春哉《ゆあさはるや》、陵光医大《りょうこういだい》の麻酔科からの派遣で、去年の四月からうちの病院で勤務していた。三十歳だったはずだよ」

ん？　たしか、鴻ノ池も陵光の出身じゃなかったっけ？　僕は記憶を探る。

「麻酔科標榜医《ひょうぼうい》をとったあとは、大学院で基礎研究をしていたらしい。そして、去年臨床に戻ったのを機に、うちの病院に派遣されてきたんだ」

袴田は淡々と被害者の男について説明をしていく。

「三十歳ってことは、まだ卒後六、七年目ですよね。標榜医を取れるのが早くとも四年目で、そのあと大学院に行ってってとなると、計算が合わなくないですか？」

医学部の大学院は、博士号を取るまでに最低でも三年はかかるはずだ。

「ああ、大学院は卒業していないらしい。博士号を取る前に臨床に戻って、うちの病院に派遣されたということだ」

基礎研究が性に合わず、すぐ臨床に戻ったということか。僕は曖昧《あいまい》に頷く。

「その男が、どんなふうに死んだかについては知っているか？」

口のクリームが取れた鷹央が問うと、袴田の表情が硬くなった。

「ああ、聞いているよ。……頸部《けいぶ》を鋭利な刃物で切りつけられたらしい。気管と頸動脈が切断されていたということだ。異変に気づいた医師たちがすぐに駆けつけて救命措置を取ったが、助からなかった」

「なんで舞が疑われているんだ?」鷹央は立て続けに質問を重ねていく。

「事件が起こったのは、手術が終わって患者の麻酔を醒ましているときだったらしい。執刀した外科医は麻酔科控室にいて、器械出しと外回りの看護師は、機材の整理に手術室を出ていた。つまり、事件が起こった際に、手術室には湯浅君と君たちのところの研修医の二人だけしかいなかったということだ」

「外科医と看護師たちが手術室を出たあと、誰かが手術室に忍び込んだんじゃないのか? もしくは、最後に手術室を出た人物が殺したのかもしれない。あと、その麻酔科医が自殺した可能性だって否定できない。それだけで、舞に容疑がかけられるのはおかしいだろ」鷹央の眉間《みけん》にしわが寄る。

「うちの病院は、各手術室とその前の廊下に監視カメラがあり、麻酔科控室のモニターで見ることができる。それに並行して録画もされているんだ。その映像では、事件が起こったとき、手術室には湯浅君と患者以外いなかったように見えるらしい」

「事件の映像が録画されているってことか⁉」鷹央は目をしばたたかせる。

「いや、湯浅君が切り付けられたところは映っていない。血飛沫が飛んで、その数秒後に画面の外から湯浅君が倒れこんできたらしい。ただ、すぐにカメラを引いてオペ室全体を映したが、湯浅君と患者以外に人影はなかったようだ」

「カメラの死角ぐらいあるだろ、そこに隠れていたんじゃないのか？」

鷹央が険しい顔でつぶやくと、袴田は肩をすくめた。

「それは私にも分からないよ。なんにしろ、録画された映像はすべて警察に提供することになっている。誰かが隠れていたり、みんなが駆けつける前にどうにかして逃げたとしたら、警察が見つけてくれるだろう」

「……自殺の可能性は？　その状況なら、自殺が疑われて当然だろ？」

鷹央に見つめられた袴田は、一瞬周囲に視線を送ると、声をひそめて喋《しゃべ》りはじめた。

「実は倒れる前、暴れている湯浅君の姿が一瞬、画面に映し出されたということなんだよ。それを見た医師の話では、誰かと取っ組み合っていたみたいだったということだ。自殺するのに、そんな行動を取るのはおかしいだろ」

「取っ組み合っている姿が映っている？　なら、犯人の姿も映っているだろ」

袴田はゆっくりと首を横に振った。

「それが、誰も映っていなかったらしい。まるで『目には見えない何か』に襲われているようだった。映像を見た全員が、口をそろえてそう言っているんだ」

怪談を語るかのような袴田の口調に背筋が寒くなっていく。脳裏に『透明人間』という言葉が浮かんだ。電話で成瀬が言っていたのは、このことだったのか。

表情をこわばらせる僕を見て袴田は相好を崩すと、大きく肩をすくめた。

「まあ、透明人間なんているわけがないから、なにかの偶然で、そんなふうに見えただけなんだろうけどね。何にしろ、首を切りつけられる前に、湯浅君は誰かに襲われていた形跡があった。つまり、自殺の可能性は低いということだ。そうなると、当然手術室にいたもう一人の人物に疑いがかかってくる」

「……その男が殺されたとき、舞は麻酔から醒めたばかりだったはずだ。若い男を襲って殺すなんて、本当にできると思っているのか？」

「私の専門は小児科だからね、手術後にどれくらいのことが可能かなんて見当はつかないよ。それを判断するのは警察の仕事だ。彼らはプロだ。残っている映像を解析したり、関係者たちに聞き込みをしたりして、湯浅君の身に何が起こったか解き明かしてくれるさ」

「たしかに警察は事件捜査のプロかもしれないが、医学のプロじゃない。手術室という特殊な空間で起きた事件は、私のように医学知識があり、さらに警察よりずっと知能が高い人間の方が適しているはずだ」

鷹央が迷いのない口調で言うと、袴田の目がすっと細くなった。

「……鷹央ちゃん、たしかに君は昔からとてつもなく頭が良かった。けれどね、今回疑われているのは君の知り合いなんだよ。自分のところの研修医が犯人でないという思い込みのせいで、冷静に調査なんかできないんじゃないかな？」

数秒、言葉を探すかのように目を閉じたあと、鷹央はゆっくりと瞼《まぶた》を上げる。

「真実というのは不変のものだ。そこに感情が入る余地はない。私は事件の真相を探るときも、患者の疾患を診断するときも、自分が持てるすべての能力を使ってあらゆる可能性を検討し、ただ一つの真実を探す。……たとえそれが、どんな残酷な内容であろうともな」

淡々と語る鷹央の姿は、年相応かそれ以上に大人びて見えた。

鷹央はこれまで、他の医者から匙を投げられたような、複雑怪奇な症状を呈した患者を多く診察してきた。それらの患者の中には、不治の病に冒されていた者も少なくはなかった。そんな患者に鷹央は、医師として時には残酷な診断も下してきた。それこそが、診断医の仕事だから。

もし本当に、今回の事件で鴻ノ池が犯人だったとしたら、鷹央は間違いなくそう結論付けるだろう。真実は一つで、感情の入る余地はない。それこそが診断医としての鷹央のポリシーなのだ。

「けどな」鷹央は唇の片端を皮肉っぽく上げる。「舞が人を殺すような奴じゃないってことも、私は知っているんだ。なっ、小鳥」

同意を求められた僕は、矛盾した物言いに苦笑しながらも、「そうですね」と頷いた。見ると、いつの間にか袴田も柔和な顔に戻っている。

「ということで、舞に会わせてくれ。いいだろ？」

鷹央に身を乗り出して頼み込まれた袴田は、「いやあ、それは……」と苦笑を浮かべる。まるで、高い玩具《おもちゃ》をねだる孫娘と、その祖父といった光景だ。

「……ダメなのか？」

鷹央は哀《かな》しげに表情を緩めると、上目遣いに袴田を見る。明らかに、そういう態度を取れば相手が断りづらくなることを理解している態度だ。

この人って、『謎』がかかわると、手段を選ばなくなるんだよな……。

「私だってできれば鷹央ちゃんのお願いを聞いてあげたいけどね、体格の良い刑事さんからきつく言われているんだよね。『天久鷹央という人物がやってくるかもしれないが、絶対に容疑者に会わせたり、事件現場を見せないようにしてください』ってね」

完全にこちらの行動が読まれている。間違いなく成瀬の仕業だろう。

「院長だろ。そんなの無視すればいいじゃないか」鷹央は口を尖らせる。

「そういうわけにはいかないよ。患者の治療に関しては、主治医が全責任を負う。主治医が面会謝絶を宣言している以上、いくら院長でもそれを変更するわけにはいかないんだよ。それに手術部の責任者は私じゃなく、麻酔科部長なんだ。私の一存で職員でもない人間を手術部に入れたりしたら、大きな問題になる」

「院長ってその程度の偉さなのか？　うちの院長はもっと威張っているぞ」

辛辣《しんらつ》な鷹央のセリフに、袴田は苦笑を浮かべる。

「一族経営の天医会と比べられてもね。しょせん私は雇われ院長。責任ばかり重くて、本当に大変だよ。今回の件も、優秀な医師を失っただけでなく、これから押しかけてくるマスコミの対応もしないといけないし……」

「それは……大変ですね」

力なく肩を落とした袴田に、僕はそう声をかけることしかできなかった。

「特にね、外科医たちが警察の訊問《じんもん》で時間を取られるのが痛い。ただでさえ、マンパワーが足りなくてぎりぎりでやりくりしていたのに、このままじゃ予定していた手術が行えなくなる。そんなことになれば、患者さんに不利益が……」

愚痴をこぼし続ける袴田の姿は、急に老《ふ》け込んだかのように見えた。

「ん？　外科医が足りないのか？」

鷹央が声をかけると、うなだれていた袴田は顔を上げた。

「そうなんだよ。この四月に入ってすぐ、外科医の一人がアルコール性肝炎で入院しちゃったんだ。年度末の宴会で飲みすぎたらしい。色々な大学の外科医局に声をかけているんだけど、どこも人手不足で、早くとも来月までは派遣はできないってことなんだ。それなのに、こんな事件が……」

「なるほど。それは大変だなぁ」

鷹央の顔にじわじわと笑みが広がるのを見て、頬が引きつる。九ヶ月の付き合いで知っていた。鷹央がこういう表情をするのは、ろくでもないことを思いついた時だ。

「おい、小鳥」

ほら来た。僕は警戒心をあらわにしながら「なんですか?」と訊ねる。

鷹央は左手の親指を立てて首元に当てると、手首を返して横に動かした。

「お前、クビだ」

2

「えー、ということで、本日から急遽《きゅうきょ》うちの科で勤務してくれることになった小鳥遊優先生です。入院中の馬場《ばば》先生が復帰するまでの間、純正医大の第一外科医局から派遣という形で働いていただくことになりました」

なんでこんなことに? 明るい口調で僕を紹介していく太った中年男、清和総合病院の第一外科部長である黒部昭雄《くろべあきお》の声を聞きながら、僕は自問する。

事件の一報を受けてこの清和総合病院に押しかけた三日前、鷹央はとんでもないことを言いだした。

「お前、クビだ。うちの病院をいったん辞めて、事件が解決するまで清和総合病院に外科医として勤務しろ」

清和総合病院の職員になれば、鴻ノ池に接触できるし、事件現場にも行くことができる。警察も文句は言えないはずだ。それが鷹央のアイデアだった。

たしかに、去年思うところあって内科医を志すまで、僕は五年間外科医の修業をしてきた。いまも、救急部の勤務で外科的処置は行っている。腕はまだまだ鈍《なま》っていないだろう。とはいえ、そんなことは不可能だ。僕はそう思っていた。

事件調査のために一時的に勤務するなんて、院長である袴田が許可するわけがないし、そもそも僕は純正医大の総合診療科医局から天医会総合病院に派遣されている身だ。大学の医局がそんなことを許すわけがないはずだった。

そう、そのはずだったのだ。しかし、僕の経歴を聞いた袴田は「おお、元外科医なんだ。それならぜひうちで働いてくれ!」と手を握ってきた。あまつさえ、僕を派遣している純正医大の総合診療科の教授（彼も鷹央の古い知り合いらしい）にいたっては、「ああ、小鳥遊君は今年度いっぱい、鷹央ちゃんにレンタルしているからね。好きなように使っていいよ」と伝えてくる始末だった。

なんで年配の男たちは、ここまで鷹央に甘いんだよ⁉

啞然《あぜん》としている間にとんとん拍子で話は進み、週が明けたこの月曜日、僕は大学の外科医局からの派遣という形で、この清和総合病院の外科で勤務することになったのだった。

なんで気軽にレンタルされているんだ、僕？

僕は肩を落としながら、前もって聞かされた清和総合病院の外科の体制を思い出す。この病院では腹部の手術を主に行う第一外科と、胸部や血管の手術を主に行う第二外科に分かれている。今日から僕が所属するのは、第一外科だった。

僕の紹介を終えた黒部が、今度は第一外科のスタッフを紹介していく。と言っても、部長である黒部の他にはスタッフは二人しかいなかった。

まず副部長の戸隠《とがくれ》。白髪の目立つ髪を丁寧にセットした、四十前後の背の高い男だった。眼光が鋭く、いかにも『出来る外科医』といった雰囲気だ。そしてもう一人が、卒後四年目の外科医である八巻《やまき》だった。

卒後四年ということはおそらく僕よりも若いのだろうが、無精ひげとその巨体のせいで年上に見える。身長一八〇センチ以上ある僕より長身で、横幅にいたっては二回りは大きい。体重は軽く三桁《みけた》はあるだろう。

戸隠は「よろしく」とダンディーな声で言い、八巻は小さく会釈だけした。

「こちらこそ、よろしくお願いします」僕は頭を下げる。

「えーっと、元々はここにいる僕たち三人と、いま酒の飲みすぎで内科病棟に入院している馬場先生の四人で回してきました。あと、初期研修医が一人、うちで研修中です。とりあえずは、この体制で頑張っていきましょう」

黒部の説明に僕は頷く。

「手術日は月曜、水曜、金曜になっています。当直とかオンコールについては後であらためて説明するね。とりあえず、小鳥遊先生には水曜の手術から助手として参加してもらいます。まあ、本当ならもう少し時間をかけて、うちの病院に慣れて欲しいんだけど、先週色々あって僕たちも時間がとられそうだから」

「色々？」僕はとぼけてみせる。

「いや、なんというか……。小鳥遊先生、噂は聞いていないかな？」

黒部は首元に浮かんだ汗をハンカチでぬぐう。

「たしか、この病院の手術室でドクターが亡《な》くなったとニュースで見ましたけど……」

事件については、「手術室で麻酔科医が首から血を流し亡くなった。警察は事件と事故の両面で捜査を行っている」とだけ報道されていた。状況はかなりセンセーショナルだが、まだ情報が少ないせいか、それほど大きく取り上げられてはいなかった。病院前に待機しているマスコミもごく少数だ。

しかし、殺人事件である可能性が高いと知られれば、大量のマスコミが押しかけるだろう。このままでは、遅かれ早かれいずれその状況はやってくる。

できるだけ早く情報を集めて、鷹央先生に伝えないと。

しどろもどろになりつつ、事件のごく表面だけを説明している黒部の言葉を聞き流しながら、僕は拳《こぶし》を握りこむ。この週末、鷹央と僕は何度も鴻ノ池のスマートフォンに電話をかけたが、電源が入っていないのか留守番電話のメッセージが流れるだけだった。まずは鴻ノ池の様子を知りたかった。

「まあ、そんな感じで、麻酔科の先生が亡くなってね。警察は事件かもしれないって調べているけど、そんなわけないと思うよ。きっと湯浅君は脳貧血で倒れて、その拍子に置いてあったメスで首を切ったかなにかしたんだよ」

黒部は早口で説明を終える。その態度からは、黒部自身も自分の説を全く信じていないのが垣間《かいま》見《み》えた。

「……幽霊ですよ」唐突に、八巻がぼそりとつぶやいた。

「え？　いまなんて？」

僕が反射的に聞き返すと、八巻はかすかに口角を上げる。

「だから、幽霊ですよ。うちの病院の手術部には、去年から幽霊が出るんです」

「幽霊？」その非現実的な響きに、顔をしかめてしまう。

「……八巻。変な冗談はやめろ」

黒部が渋い表情でたしなめるが、八巻はどこ吹く風で話し続けた。

「冗談なんかじゃないですよ、黒部先生。病院中で噂になっています。湯浅先生は手術部の幽霊に殺されたってね。この週末、俺は当直で院内にいましたからね。自然と耳に入ってくるんですよ。だって湯浅先生、目に見えないなにかに襲われていたでしょ。幽霊って考えれば……」

「八巻、黙らねえか！」

まくし立てる八巻を、黒部が突然ヒステリックに怒鳴りつける。八巻は不満そうな表情で黙り込んだ。部屋の空気が一気に重くなる。

「えー、なんにしろ、小鳥遊先生に来ていただいてありがたいです。えっと、僕たち三人は九時から肝臓癌《がん》の手術に入る予定なので、小鳥遊先生には回診などの病棟業務をお願いできればと思っています。それじゃあ、そろそろ業務に取り掛かりましょう」

黒部は咳《せき》払いをして誤魔化すと、僕たちを促して医局の出口へと向かう。

一人で病棟業務か、ちょうどいい。

僕は内心ほくそ笑みながら、黒部を追って医局を後にした。

「よし、お終《しま》いっと」

注射箋をオーダーシステムに入力し終えた僕は、座ったまま反り返る。背骨がコキコキと鳴った。壁時計を見ると、時刻は正午を過ぎたところだった。

外科の入院病床がある清和総合病院五階病棟のナースステーション。朝、医局からここに来た僕は、この四時間ほどで病棟業務の大半を終えていた。

看護師への挨拶《あいさつ》、電子カルテやオーダーシステムの確認、入院患者の把握など、かなりやることは多かったが、この病院が使っているシステムが天医会総合病院と同じなので、スムーズに仕事をこなすことができていた。

顔を合わせたナースの中には、三日前に鷹央と言い争ったベテランナースもいたが、幸運なことに僕の顔までは覚えていないらしく、挨拶すると愛想よく「よろしくお願いしますね」と会釈してくれた。

すでに注射箋・処方箋や検査のオーダーも終え、さらに回診とカルテの記載も終えている。ただ一人の患者を除いて。

さて、これからが本番だ。僕は細く息を吐いて気合を入れると、マウスを操作してカルテを表示させる。『鴻ノ池舞様』と画面の上部に表示された。

僕はカルテに目を通していく。記載されている内容によると、鴻ノ池は先週の水曜の午後十時ごろ、腹痛を主訴に時間外外来を受診し、虫垂炎の診断で第一外科に入院になった。抗生剤の投与で経過観察をしていたが、症状が悪化してきたため手術が必要と判断される。当初は腰椎麻酔による手術が予定されていたが、手術当日の朝に腹痛が悪化、強い発熱も認めたため虫垂から腹腔内に膿《うみ》が漏れている可能性もあると判断。腹腔内洗浄の必要もあるかもしれないということで、全身麻酔による手術に変更されていた。

結局、腹腔内への膿の流出は認められず、虫垂の切除だけで手術は問題なく終わったらしい。そして手術のあとに事件が起こった……。

カルテを隅々まで読むが、そこに事件ついての記載はなかった。まあ、当然だろう。カルテはあくまで医療記録なのだから。

僕は術後の鴻ノ池の様子を探ろうと、カルテをスクロールしていく。昨日のカルテのところで、僕はマウスを操作していた手を止める。そこに書かれていた文字を読み、僕は唇を固く結んだ。

『術後経過に問題なし　傷の具合も良好　ただしメンタル不安定
抑うつ症状が顕著　精神科への診察依頼必要か？』

つらい研修医生活の中でも弱音一つ吐くことなく潑溂《はつらつ》としていた鴻ノ池が、精神的に不安定？　事件が起こり、その容疑者にされたことで、鴻ノ池は想像以上にダメージを受けている。そのことがカルテから伝わってきた。

電子カルテをログアウトした僕は、ナースステーションを出る。昼食の配膳《はいぜん》などで看護師たちが忙しそうに行き交う廊下を、ゆっくりと進んでいく。

ナースステーションから最も離れた廊下にたどり着くと、十メートルほど先にある扉の脇にパイプ椅子が置かれ、スーツを着た男が座っていた。おそらく刑事だろう。

ついさっき看護師から聞いた話では、術後から「事件現場にいたので防犯のため」という名目で、刑事が二十四時間、病室の前に張り付いているということだった。しかし、その真の目的が防犯などではなく、「容疑者の逃亡を防ぐため」だということは明らかだ。

看護師の間でも、鴻ノ池が殺人事件の容疑者であるという情報は共有されていた。さっき看護師の一人から「実はちょっと面倒な患者さんがいるんですよ」と忠告さえされた。

僕は緊張を噛み殺しながら廊下を進む。雑誌を読んでいた刑事が、足音に気づいたのか顔を上げ、僕を見てきた。心臓の鼓動が加速する。成瀬に聞いた話では、「天久鷹央を事件にかかわらせるな」という指令が出ているらしい。事件の際、よく一緒に行動している僕の顔も、捜査本部で共有されているかもしれない。

しかし、刑事は白衣姿の僕に一瞥《いちべつ》をくれると、すぐに雑誌に視線を戻した。できるだけ自然に「お疲れ様です」と刑事に声をかけ、僕は扉をノックする。刑事は雑誌を見たまま、かすかにあごを引いただけだった。

扉を開けて病室にもぐりこむと、短い廊下があった。出入り口の脇にはトイレ、ユニットバスが備え付けられていて、廊下の先に応接セットや小さな冷蔵庫が見える。僕は廊下を進むと、そっと部屋を覗き込む。電灯の灯っていない薄暗い部屋の奥に、ベッドと床頭台があった。

ベッドに横たわる女性を見て、僕は息を呑む。最初、僕はそれが鴻ノ池だとは気づかなかった。いつもいたずらっぽい笑顔を浮かべていた顔からは表情が消え去り、天井を見つめる目は虚ろで、まるでガラス玉が眼窩《がんか》に嵌め込まれているかのようだった。

「鴻ノ……池」

僕はおずおずとベッドに近づく。しかし、鴻ノ池が反応することはなかった。無表情で横たわっている姿は、蠟《ろう》人形を見ているようだった。

「おい、鴻ノ池。しっかりしろ。僕が分かるか？　小鳥遊だ！」

「……小鳥遊？」

鴻ノ池は虚ろな目だけ動かして僕を見ると、たどたどしくつぶやく。

なんだよ、その初めて聞く言葉みたいな反応は。

「そうだよ、小鳥遊だよ。お前はいつも『小鳥先生』とか呼んでいるだろ」

「え……？　小鳥先生……？」鴻ノ池の目に、かすかに意思の光が灯る。

……もしかしてこいつ、僕の本名を忘れていた？

「そうだよ。その『小鳥先生』だ。お前に会いに来たんだ」

僕の顔をまじまじと見つめたあと、大きなため息を吐いた。

「なんで小鳥先生かなぁ……」

「なんでってどういう意味だよ？」

僕が首をひねると、鴻ノ池はかすかに唇の片端を上げた。

「幻覚なら、もっと頼りになる人を見るもんじゃない？　それこそ鷹央先生とかさ。なに、もしかして私って密かに、小鳥先生に来て欲しいとか思っているの？　たしかに小鳥先生、外見はそれなりで優しいけど、ああいう優柔不断で頼りがいのない人、全然タイプじゃないはずなのになぁ」

とんでもなく失礼なことを口走りはじめた鴻ノ池に、こめかみのあたりがぴくぴくと痙攣しだす。こいつ、少し我に返った途端にこれかよ。

「誰が幻覚だ。さっさと正気に戻れ！」

このまま帰ってしまいたいという衝動を必死に押し殺しながら、僕は両手で鴻ノ池の頬をつねる。さっきの暴言に思わず力がこもってしまう。

「いひゃい！　いひゃい！　何するんですか、いきなり！」

鴻ノ池は僕の手を乱暴に振り払い、睨みつけてくる。その目には、完全に意思の光が戻っていた。

「お前がぼーっとしているからだろ。目は覚めたか？」

僕が鼻を鳴らすと、鴻ノ池は両頬をさすりながら訝しげな視線を向けてくる。

「え？　小鳥先生？　本物？」

「本物に決まっているだろ」

「でも、なんでここに？　ここって清和総合病院ですよね。それに職員証」

鴻ノ池は僕の首からぶら下がっている清和総合病院の職員証を指さす。

「鷹央先生にクビにされたんだよ」僕は苦笑を浮かべた。

「クビ？　何をしたんですか？　ナースにセクハラで訴えられたとか？」

「違う！」こいつ、僕のことをどんな目で見ているんだ。

「お前は面会謝絶になって、この病院の職員以外会えない状態なんだ。だから、鷹央先生が裏から手を回したんだよ。僕を一時的にこの病院の外科に派遣して、お前と接触できるようにな」

「私と接触……？　なんでそんなことを……？」

「何言っているんだ。お前にかかった容疑を解くために決まっているだろ」

「私の容疑を……。そのためにこんなことまで⁉」

鴻ノ池は大きく目を見開く。やがて、その目がじわじわと潤《うる》んできた。

「目、どうしたんだ？　花粉症か？」

僕がからかうと、鴻ノ池は両手で目元を隠してすすりあげる。

「だって鷹央先生と、ついでに小鳥先生が、ここまでしてくれるなんて……」

……ついで？

「お前、選択研修で統括診断部を取ったんだろ。将来統括診断部に入局するかもしれない仲間を見捨てるわけにはいかないって、鷹央先生が言い張るんでな」

鴻ノ池は目元を覆ったまま、何度も頷く。涙で言葉が出ないようだ。この週末かなりの不安と恐怖に苛《さいな》まれていたのだろう。

「鴻ノ池、僕はお前から事件の詳細を聞いて、それを伝えるように鷹央先生に指示されているんだ。三日前、なにがあったのか、教えてもらえるか？」

鴻ノ池の体が大きく震える。ゆっくりと外した両手の下から現れた表情には、強い恐怖が浮かんでいた。

「そもそも、なんで天医会じゃなくこの病院を受診したんだよ」

鴻ノ池の様子を見て、僕は努めて明るい口調で話題を変える。

「だって、……知り合いに診察してもらうの、何となく嫌じゃないですか。しかも、最初に痛かったの、下腹部全体だったんですよ。たぶん虫垂炎だろうけど、婦人科疾患の可能性もあると思ったんです」

たしかに女性としては、知り合いに婦人科の診察は受けたくないだろう。

「それで、この病院に知人がいたから、診てもらえるか連絡したんです。そうしたら、すぐに診察してもらえるように手配してくれるっていうから……」

「それで、虫垂炎の診断で入院になって、金曜に手術になったんだな」

「はい、症状が思ったよりひどいから、全身麻酔で手術になりました」

「じゃあ、手術が終わって、麻酔から醒めた後のことは覚えているか?」

鴻ノ池の表情がこわばる。急ぎすぎたか? 僕は質問を変えようとするが、その前に鴻ノ池はかすれ声で喋りはじめた。

「『やあ、目が覚めたかい』っていう、湯浅先輩の声が聞こえてきました」

「湯浅先輩?」

「担当麻酔科医です。湯浅春哉先輩、大学の水泳部で、五つ上の先輩でした」

担当麻酔科医ということは、今回の事件の被害者ということだ。そういえばたしかに、被害者と鴻ノ池は同じ陵光医大の出身だった。

「その、被……麻酔科医と、知り合いだったのか」

僕が言葉を選びながら訊ねると、鴻ノ池はかすかにあごを引く。

「さっき言った、先週水曜の夜に連絡をとった知人っていうのが、湯浅先輩でした。先輩は救急医に診察を依頼して、『手配したからすぐに来い』って言ってくれました」

「……麻酔科医に声をかけられたあと、何があった？」

「頭に霞《かすみ》がかかったような状態のまま、私は頷きました。そのあと、口元にマスクが当てられて、深呼吸をするよう指示されました。私は目を閉じて、その通りにしました」

全身麻酔から覚醒《かくせい》させる際の手順通りだ。

「意識はあったけど、まだすごく眠くて、私は目をつぶっていました。いつの間にか、湯浅先輩の声が聞こえてこなくなっていましたけど、別に気にはなりませんでした。そうしたら、急に大きな音が聞こえてきたんです。驚いて、目を開きました」

「そこで、何を見たんだ？」

「湯浅先輩が……暴れていました？」

「暴れていた？」

「はい、何が起きているのか分かりませんでした。ただ、湯浅先輩が顔を真っ赤にして腕を振り回していたんです。……なにかに殴りかかっているみたいに」

「……なにかって？」僕は喉を鳴らして唾《つば》を飲み込む。

「分かりません。私はまだ体の自由がきかなくて、手術台に横たわっていたんで、部屋全体が見渡せたわけではないんです。でも、少なくとも私の見た限り手術室には……私と湯浅先輩以外に誰もいませんでした」

脳内に再び浮かんだ『透明人間』という単語を、僕は頭を振って追い払う。そんなわけない。きっと、鴻ノ池の視界に入ってこなかっただけだ。

「そのあとのことは？」

「湯浅先輩は真っ赤な顔のまま暴れ続けて、私の視界から消えたり、また入ってきたりしました。誰かと取っ組み合っているみたいに見えました」

「けれどやっぱり、……相手は見えなかったのか？」

僕が声を潜めて訊ねると、鴻ノ池はためらいがちに頷いた。

湯浅は誰かと格闘しているようだった。しかし、防犯カメラに相手の姿は映っておらず、現場にいた鴻ノ池も目撃していない。これはいったいどういうことなんだ？

「他に覚えていることはあるか？」

僕が質問を重ねると、鴻ノ池の顔から血の気が引いていく。

「なにが起こっているか分かりませんでした。頑張って上半身を起こそうと思ったんですけど、体が動きませんでした。そのとき、顔に温かい液体がかかって……」

顔にかかった液体が何を意味するのか理解し、言葉を失う僕を尻目に、鴻ノ池は熱に浮かされたような口調でしゃべり続ける。

「わけがわかりませんでした。夢の中にいるのか、それともそれが現実なのか、区別がつきませんでした。そうこうしているうちに遠くから走ってくる足音が聞こえてきて、そのあと手術室の扉が開いて、誰かが声を上げながら手術室に飛び込んできました。私はどうにか状況を把握したくて、必死に体を起こしました。そうしたら、見えたんです。……床に血塗《ちまみ》れで倒れている湯浅先輩の姿が」

鴻ノ池の体が細かく震えだす。これ以上は無理だ、僕は慌てて痙攣するように震える鴻ノ池の肩に手を添える。

「十分だ。もう十分に分かった。つらいことを思い出させて悪かった」

しかし鴻ノ池は駄々をこねる子供のように、首を激しく左右に振った。

「十分じゃありません！　それだけじゃなかったんです！」

鴻ノ池は荒い呼吸の隙間を縫って、悲痛な言葉を搾《しぼ》りだす。

「私はメスを持っていたんです。湯浅先輩の血でべっとり濡れたメスを！」

鴻ノ池は両手で顔を覆った。衝撃的な事実に、僕は口を半開きにして立ち尽くす。

十数秒呆《ほう》けたあと、僕はしゃくりあげる鴻ノ池に、おずおずと話しかける。

「それはきっと、起き上がろうとしたときに偶然摑んだだけだ。犯人が手術台の上にメスを放っていったんだよ。そもそも、お前は被害者が誰かに襲われているところを目撃しているんだろ？」

　僕ができる限り柔らかい声で話しかけると、鴻ノ池は緩慢な動作で顔を覆っていた手を外す。目を真っ赤に充血させた鴻ノ池は痛々しいほどの自虐《じぎゃく》的な笑みを浮かべた。

「見た光景が現実だったのか、それとも麻酔のせいで見た幻覚だったのか、自分でも分からないんです。だって、見えない相手と格闘しているんですよ。もしかしたら、そんなの全部私の妄想だったのかも」

「いや、違うぞ」僕は鴻ノ池の目を覗き込む。「幻覚なんかじゃない。お前以外にも、被害者が『見えない何か』と争っていたって証言している人がいるんだ。お前が見たのは、現実に起こったことなんだ」

　意味がすぐには理解できなかったのか、鴻ノ池はまばたきを繰り返す。

「でも、警察はきっと私がやったって思っています。何度も話を聞かれたんです。あの人たちの態度ですぐに分かりました。私が疑われているって」

　弱々しい鴻ノ池のつぶやきを聞いて、舌が鳴ってしまう。やはり警察は、鴻ノ池を最有力容疑者として捜査をしているようだ。

「お前がその麻酔科医を殺す理由なんてないだろ。たんなる先輩なんだから」

　僕がかぶりを振ると、鴻ノ池はふっと哀しげな微笑《ほほえ》みを浮かべた。

「小鳥先生、湯浅先輩はたんなる先輩じゃないんです」

鴻ノ池はどこか懐《なつ》かしそうに天井あたりに視線を彷徨《さまよ》わせる。

「あの人は私の恋人でした」


「恋……人？」僕は呆然とつぶやく。

「ああ、恋人っていっても過去形、元カレってことですよ」

鴻ノ池は胸の前で両手を振った。

「もう五年前に別れてます。私が大学に入ってすぐの頃に、付き合いだしたんです。部活の先輩が、後輩の女子に手を出したってやつですよ。よくあることですよね。小鳥先生も経験あるんじゃないですか？」

いたずらっぽく鴻ノ池は言う。思い当たる節が無くもないので、思わず言葉に詰まると、鴻ノ池は勝ち誇ったような表情を浮かべた。

「それは置いといて、元カレってことは、今は付き合っていなかったのか？」

咳払いする僕に、鴻ノ池は「あれ？　話をそらそうとしてます？」とからかってくる。少しずつではあるが、普段の調子を取り戻してきているようだ。

「話をそらしているのはお前だろ。時間がないからさっさと教えてくれ」

「もちろん、いまは付き合っていませんでしたよ。というか、一年ぐらいですぐに別れちゃいました。湯浅先輩が医師国家試験に受かって、初期研修がはじまったんですよ。忙しくて会えなくなったんで、私の方からフっちゃいました」

「別れたあとでの付き合いは？」

「なんですか、そんなに私の恋愛遍歴が気になります？　ダメですよ、小鳥先生には鷹央先生っていう、いい人がいるんだから」

「ふざけてないで、さっさと答えろよ」

完全にいつもの調子を取り戻しつつある鴻ノ池を、僕は睨みつける。鴻ノ池は首をすくめると、小さく舌を出した。

「最近は、連絡ぐらいは取っていましたよ。ああ、そのことを言ったら、刑事の目が一気に変わりましたね。あの人たち、絶対私が犯人だと思っています。聞いたところによると、事件のとき手術室には私と湯浅先輩しかいなかったらしいんですよ。だったら、疑われるのも当然ですよね。……このままだと私、逮捕されちゃうのかな」

鴻ノ池の顔に、諦《あきら》めの色が浮かぶ。

「そんなわけないだろ！」

思わず声が大きくなってしまう。鴻ノ池は体を震わせた。

「小鳥先生……？」

「お前にはいつもからかわれて、いろいろと迷惑かけられてきた。けどな、人を殺すような奴じゃないことぐらい分かっているんだよ。安心しろ。鷹央先生と僕で、先週の金曜に何があったかを暴いて、お前の容疑を晴らしてやるから」

数回まばたきを繰り返したあと、鴻ノ池の顔に安堵《あんど》したような笑みが広がっていった。

「ありがとうございます、小鳥先生」

そのとき、ノックの音が響いた。返事をする前に扉が開き、二人の男が病室に入ってくる。鴻ノ池の表情がこわばった。

「失礼します、鴻ノ池さん。またお話をうかがいに……」

抑揚のない口調でそこまで言ったところで、先に入ってきた大柄な若い男が硬直する。僕の口から「あっ」と声が漏れた。

「ん、どうした？　成瀬君」

少し遅れて入ってきた背が低く小太りの中年男が、立ち尽くしている男、成瀬に話しかける。しかし、成瀬は目を剝いたまま、返事すらできなかった。

「成瀬君？」中年男がもう一度、成瀬に声をかける。

「あっ、いえ……。すみません、迫《さこ》さん」

ようやく金縛りが解けた成瀬は、中年の男に謝罪する。迫と呼ばれた男は、不思議そうに首をひねった。

僕は迫と呼ばれた男を観察する。一見すると、どこにでもいる中年太りしたサラリーマンといった風体だった。おそらく、今回の事件で成瀬とコンビを組んでいる警視庁捜査一課の刑事だろう。

東京で殺人が疑われる事件が起こると、多くの場合は所轄《しょかつ》署に捜査本部が立ち、警視庁捜査一課殺人班の刑事たちが派遣されてくる。そして自分たちの班を管轄する管理官の指示のもと、所轄署や近隣の署から集められた刑事や機動捜査員とペアを組み、事件の捜査に当たるのだ。

「失礼しますよ、先生」迫は僕を見て笑みを浮かべる。「また鴻ノ池さんにお話をうかがいに来ました。少しよろしいですかね？」

「……まだ診察中なんですが」

僕は警戒する。見た目はくたびれたサラリーマンといった感じだが、油断は禁物だ。殺人事件の捜査を生業《なりわい》にしている人物は、人当たりの好《い》い仮面の下に、狡猾《こうかつ》な本性を隠していることも多い。僕はそのことを、コロンボに似た刑事との付き合いから知っていた。

「二つ、三つ質問するだけです。すぐに切り上げますから」

「時間の問題じゃなくて……」

反論しかけた僕の白衣の裾《すそ》を、鴻ノ池が軽く引っ張った。

「いいんです。私は大丈夫ですから。診察ありがとうございました」

鴻ノ池は目配せをしてくる。僕が鷹央の使いであることがばれないよう、気を使っているのだろう。まあ、成瀬がいる時点でもはやばれたも同然なのだが。

本当に大丈夫だろうか？　僕は迷いながら鴻ノ池を見下ろす。いまは少し落ち着いているとはいえ、精神的に大きなダメージを負っているのは明らかだ。

「まことに申し訳ありませんが、少し外してもらってもよろしいでしょうか？」

近づいてきた迫の慇懃無礼な態度に、顔をしかめてしまう。鴻ノ池はもう一度「大丈夫です」と繰り返した。

仕方なく出口に向かおうとする僕の肩に、成瀬が手を置いた。

「迫さん、俺は先生から成瀬が病状について伺っておきます」

僕の肩を摑みながら成瀬が言うと、迫は「ああ、よろしく」と軽い声で答えた。

「それじゃあ行きましょう。……先生」

「……すぐそばに病状説明室がありますから、そこでお話ししましょうか」

僕はあごをしゃくると、成瀬とともに出口に向かって歩き出した。

「なんのつもりなんだ！」

病室を出て病状説明室に入るやいなや、成瀬は声を張り上げた。パイプ椅子《いす》とテーブルが置かれた四畳半ほどの狭い部屋に、怒声が響き渡る。

「なんのつもりという と?」

空惚《そらとぼ》けた僕を、成瀬は顔を紅潮させながら睨みつける。

「外部の人間は容疑者とは接触できない。そう言ったでしょ!」

「僕は外部の人間じゃないですよ、成瀬さん」

僕は胸元にぶら下がった職員証を指さす。

「それは……?」成瀬は目が大きくなる。

「もちろん、偽物《にせもの》なんかじゃありませんよ。正真正銘、この病院の職員証です。今日から僕は、この病院の第一外科で勤務することになったんですよ」

「ふざけるな! なんでそんなことに⁉」

「なんでと言われても、僕も命令に従っているだけなんで。ここの外科医がひどい人員不足らしいんですよ。それで院長が困っているのを見て、知り合いだった鷹央先生が、一時的に僕の派遣を決めたんです。まあ、若手の医者が上の命令で急に病院を変わることは、よくあることですからね」

「白々しい。容疑者と接触するのが目的のくせに」成瀬は舌打ちをする。

「だったら何だっていうんですか?」

僕が挑発的に言うと、成瀬は「はぁ?」と額にしわを寄せた。

「目的が何であろうと、僕がこの病院の正式な職員であることに変わりない。先週、成瀬さんが言ったでしょ『容疑者は面会謝絶だから、この病院の職員以外は会えない』って。だから今の僕は鴻ノ池と会うことができるはずだ」

僕の正論に、成瀬は唇を嚙んで黙り込む。

「他に話がないなら、失礼しますよ。まだ仕事が残っているんでね」

部屋を出ようとすると、成瀬は太い腕を僕の前に差し出した。

「なんですか？　もし僕のことを捜査本部に報告したければ、お好きにどうぞ。正式な手続きは踏んでいますから、こちらとしては何も構いませんよ」

そうなればさらに警戒されるだろうが、もはやどうしようもない。

「なんでこんなことをするんだ？」数秒の沈黙の後、唸《うな》るように成瀬が言う。

「ここは病院です。病院のことはあなた方より、僕たちの方が詳しい。それにあの鷹央先生が事件の真相を暴くといっているんです。あの人なら、三日前に手術室でなにがあったか、きっと解き明かしてくれますよ」

「たいした信頼ですね」成瀬は小馬鹿にするように鼻を鳴らした。

「そりゃ信頼もしますよ。この九ヶ月で、あの人がどれだけの事件を解いてきたと思っているんですか。成瀬さんだって、いくつか関わっていたでしょ」

成瀬は返事をしなかった。僕はかまうことなく言葉を続ける。

「鷹央先生なら間違いなく、うちのやかましい研修医を助けられる。そう確信しているからこそ、僕はとんでもない業務命令に従って、ここに来たんです」

「……もし」成瀬は押し殺した声でつぶやいた。「もし、天久先生が暴く『真実』とやらが、『鴻ノ池舞が犯人だ』だったらどうします？　彼女は被害者の知り合いなんですよ」

「昔の恋人だったらしいですね」

僕が答えると、成瀬は「そこまで聞き出したのか」というように顔をしかめた。

「そう、かつての恋人で、現在も定期的に連絡をとっていた。そこに痴情のもつれが生じた可能性は十分にある」

早口でまくしたてる成瀬に、僕はずいっと顔を近づける。

「あいつは人を殺してなんていません」

「それは、同僚の勘って奴ですか？」

「もちろんそれもあります。鴻ノ池は迷惑な奴ですけど、いい医者になるために、研修を一生懸命頑張っていました。あいつは絶対に殺人なんかしません」

僕が断言すると、成瀬は皮肉っぽい笑みを浮かべた。おそらく、成瀬は何度も見てきたのだろう。「人を殺すわけがない」と周囲に言われる人物が、殺人犯として逮捕されるのを。

なにか言おうと口を開いた成瀬の機先を制するように、僕は言葉を続ける。

「それに、医師としても、あいつが犯人じゃないと僕は確信しています」

「医師として？」成瀬は訝しげにつぶやいた。

「ええ、そうです。事件が起きたとき、鴻ノ池は麻酔から醒めたばかりだった。筋弛緩剤の効果だって、まだ完全に切れてはいなかったはずだ。そんな状態で被害者の喉を切り裂くなんて、まずできるはずがない」

「……凶器は手術用のメスです。とてつもなく切れ味がいい。たとえほとんど力がでなくても、隙さえつけば喉を切り裂くことができるはずだ」

「本気ですか？　それじゃあ、出血する前に被害者が暴れていたのは？　そもそも、手術台に横たわっていた鴻ノ池が、どうやってメスを手にしたっていうんですか？」

まくし立てる僕を見つめたまま、成瀬は渋い表情で黙り込む。

「もう、話し合うことはありません。失礼しますよ」僕は出入り口の扉を開ける。

「……あなたのことは、上に報告せざるをえません」

成瀬は独り言のようにつぶやいた。

「どうぞお好きに」

僕は振り返ることなく言うと、病状説明室を後にした。

3

持針器を返すと、縫合糸のついた針が滑らかに腹膜を通過した。破れた腹膜の両側にかかった糸を、手術台を挟んで対面に立つ八巻が素早く結紮《けっさつ》する。

僕は持針器を器械出しの若い看護師に返すと、無菌シートの上に置いておいたクーパー剪刀《せんとう》を手に取り、八巻が結紮した糸を結び目の近くで切断した。

清和総合病院に赴任して三日目の午後三時すぎ、僕は八巻を助手にして、胆のう摘出術の執刀をしていた。人手不足というのは本当らしく、まだ赴任してきたばかりの僕にも手術が回ってきていた。

ブランクはあるが、定期的に救急部で外科的処置を行っていたためか、それほど腕は落ちてはいない。我ながらなかなかスムーズに手術を行えていた。

僕は上目づかいに八巻を見る。卒後四年目ということで、助手としての最低限のことはこなせている。しかし、かなり無口なため、どうにもコミュニケーションがとりにくかった。チームで患者の治療に当たる外科では、明らかな欠点だ。

「八巻先生、結紮スムーズだね。おかげでテンポよく手術ができているよ」

僕のお世辞に、八巻は「どうも……」と淡々と答える。そっけない反応に、僕は唇の端を引きつらせながら、手術を進めていく。

「あのさ、ちょっと気になっているんだけど、幽霊ってなんのことなの？」

「なんの話ですか？」糸を結紮していた八巻の手が止まった。

「いや、この前言っていたじゃないか。先週の事件が、幽霊の仕業だとか」

この三日間、その話が気になり、ずっと話を聞く機会をうかがっていた。

「……そんなこと言いましたっけ」そっけなく言うと、八巻は結紮を再開する。

僕が唇をへの字にすると、手術室の扉が開いた。

「やあ、小鳥遊先生、調子はどうだい？」

陽気な声を上げて入ってきたのは、外科部長の黒部だった。大量の脂肪を蓄えた腹が、手術着を突き上げている。

「もうすぐ終わる予定です」

僕が答えると、黒部は近づいてきて術野を覗き込む。

「ああ、さすがは純正医大からの派遣だけあるね、いい腕だ。これなら、もっと大きな手術も任せられるね」

上機嫌に言った黒部は、八巻に視線を向ける。

「ぼーっとしてないで、しっかり小鳥遊先生から教わるんだぞ」

八巻は無言のまま、かすかにあごを引く。その反応に、黒部は顔をしかめた。

「野乃花《ののか》ちゃん、調子はどうだい？」

一転して、猫なで声で黒部は器械出しの看護師に言う。秋津《あきつ》野乃花という名前だったはずだ。手術がはじまる前にマスクをしていない顔を見たが、どこかリスを彷彿とさせる可愛らしい顔をしていた。しかし看護師用の手術着を着た体は、その顔に似合わず、なかなかグラマラスだった。

野乃花は硬い声で「元気です」と答える。

「小鳥遊先生、野乃花ちゃんは去年からオペナースになったのに、もうこの病院でもトップクラスの腕なんだよ。僕の手術では、できるだけ野乃花ちゃんについてもらうんだ」

「はぁ、そうなんですか」

僕は生返事をする。たしかに野乃花の器械出しの腕は悪くはないが、まだ二年目とあって、ベテランナースほどの技術力は感じなかった。

「僕が他の病院に移るときには、専属オペナースとしてついてきてほしいな」

黒部は纏《まと》わりつくような視線を野乃花の腰辺りに注ぎはじめた。

「いえ、それは……」

「ああ。もちろんオペナースじゃなくて、彼女としてでも可だよ」

黒部は下卑た笑い声を漏らす。野乃花は何も言わずにうつむいてしまった。

「冗談だって。そんなに照れないでよ」

照れているんじゃない、嫌がっているんだ。露骨なセクハラに僕はマスクの下で口を歪める。見ると、麻酔科医と外回りの看護師も、冷たい視線を黒部に向けていた。しかし、当の黒部本人がそれに気づく様子はなかった。

「野乃花ちゃんさ、前に言っていたダイニングバーだけどさ、いつなら……」

とうとう野乃花を口説きだした黒部をたしなめようと、僕は口を開きかける。

「……去年亡くなった患者ですよ」

僕が文句を言う前に声が響いた。正面に向き直ると、八巻が僕を見ていた。

「え？　なに？」

「さっき話していたでしょ、病棟に出る幽霊の話ですよ」

八巻は淡々と言いながら、「手、止まってますよ」と僕の手元を指さす。

「あ、ああ、ごめん。新しい糸を」僕は慌てて、野乃花に指示を出す。

野乃花は、「はい」と返事をすると、僕の手に持針器を渡してきた。

「去年の十一月、第八手術室で術中死があったんですよ」

僕があらためて縫合をはじめると、八巻はまた喋りだす。

「術中死？」僕は顔を上げて聞き返した。

手術中に患者が亡くなる術中死。それは外科医にとって最も忌むべき事態だ。

「術中死といっても、普通の待機手術じゃありません。交通事故で運ばれてきた患者です」

八巻の説明を聞いて、僕は納得する。交通事故のような重症外傷の緊急手術の場合、患者が亡くなる確率は飛躍的に高くなる。

「その患者は十七歳の少年で、バイクの単独事故で腹部を強打して、脾臓《ひぞう》と腎臓《じんぞう》が破裂していました。腹腔内に大量の出血が認められ、すぐに開腹して臓器を摘出する必要がありました。けれど、術中に状態が悪化してそのまま死亡しました」

これまでほとんど喋らなかったことが嘘のように、八巻は立て板に水で説明していく。

「それは仕方がないんじゃないか？　搬送時にそんな状態じゃあ、救命は困難だろ」

僕がつぶやくと、八巻は頷いた。

「ええ、その通りです。最初から救命は難しいケースだったはずです。これを救命できるとしたら、よっぽど外傷処置に慣れた優秀な外科医ぐらいでしょう。だから、最終的には問題になりませんでした。ただ、……その頃から出るようになったんですよ」

「出るって……」おどろおどろしい八巻の口調に、僕は手を止めて唾を呑んだ。

「その少年が亡くなった第八手術室の前で、深夜に怪しい人影が出現したり、誰もいないのに機材が勝手に動いたりするようになったんですよ」

「いや、そんなの、よくある怪談じゃないか。ねえ」

笑い飛ばそうと周囲を見回した僕は、黒部の顔を見て眉根を寄せる。さっきまでしまりのない顔で野乃花を口説いていた黒部が、表情をこわばらせて立ち尽くしていた。その顔は血の気が引いて蒼白《あおじろ》くなっている。

何なんだよ、その反応は。黒部を見ながら僕は背筋に冷感をおぼえる。今日一日、この手術部で勤務した僕は気づいていた。その術中死があったという第八手術室こそ、先週、麻酔科医が死亡した手術室であることを。

僕は首を回して背後を見る。この部屋は第七手術室だ。そして、壁を隔てた奥が第八手術室。

「そもそも、本当にその怪奇現象を目撃した人がいるの？　実は誰も見てなんかいないのに、おかしな噂だけ広がっていくことも……」

「麻酔科部長の辻野《つじの》先生が見ているんですよ、去年の十二月、第八手術室の前で」

「麻酔科部長が？」

麻酔科部長である辻野咲江《さきえ》には、今朝挨拶をした。さっきも手術の進行状況を確認しに、この部屋に少し顔を出していた。髪を短く切りそろえた四十前後の女医で、僕が自己紹介すると「よろしくね、小鳥遊先生」と背中を平手でたたいてきた。頼れる姉さんタイプ、それが彼女の第一印象だった。

「ええ、第八手術室の前でカートがひとりでに動いて、そのあと透明な影みたいなものが見えて、それが襲い掛かってきたらしいんです」

「それは、……なにかの見間違えとか」

僕は手を止めないように気をつけながら訊ねる。

「いえ、違います」マスクの下で八巻が笑みを浮かべる気配があった。「それを目撃したのは辻野先生だけじゃないんです。そのとき当直中だった麻酔科のドクターも目撃しています。みんな噂していますよ。それは、若くして命を落とした少年が現世を彷徨って、恨みを晴らそうとしているんだって」

芝居じみた口調で言うと、八巻は「話は終わり」とばかりに肩をすくめる。

「そんな非現実的なこと……」

「手術中になにくだらないこと言っているんだ！　小鳥遊先生におかしなことを吹き込むんじゃない！」

僕のセリフを、黒部の怒声が掻《か》き消した。僕は驚いて黒部を見る。黒部は細かく震え、その額から滲んだ汗が手術帽を濡らしていた。

「……すみません」

八巻は元の抑揚のない声で謝罪する。黒部は大きく舌を鳴らすと、大股に出入り口に近づき、フットスイッチで扉を開けて廊下へと消えていった。

たしかに、手術中に話題にするような話ではなかった。しかし、あそこまで激昂《げきこう》するなんて……。

違和感をおぼえた僕が首をひねると、くぐもった笑い声が聞こえてきた。

「なにがおかしいの？」僕は笑い声を上げている八巻を見る。

「いえ、すみません、部長の態度がおかしくて。あの人、怖がっているんですよ。今度は自分の番じゃないかってね。呪《のろ》いとか信じるタイプだから」

「自分の番？」

「そう、もし湯浅先生が死んだ少年に呪い殺されたんだとしたなら、次のターゲットは間違いなく自分だと思っているんです。馬鹿みたいですよね」

八巻の口調には、黒部に対する敵意が見え隠れしていた。

「なんでそんなことを？」

「術中死した少年の執刀をしたの、黒部部長なんですよ。そして、麻酔をかけたのが湯浅先生だった」

予想外の言葉に僕は目を見張る。未練を残して死んだ少年が、自分を助けられなかった医者を襲う。頭にそんなイメージが浮かんだ。

「そんな馬鹿な。そもそも、その怪奇現象っていうのも、きっとなにかの見間違いだよ。だって、辻野先生ともう一人のドクターが目撃したとき以外は、はっきりとそれを目撃した人物はいないんでしょ」

僕は努めて陽気に言うと、クーパー剪刀で糸を切る。

「どうでしょう。もしかしたら怪奇現象は、その少年に恨まれた人物が深夜手術部にいるときにだけ現れるのかもしれませんよ」

「恨みを？　でも、辻野先生はその術中死にはかかわっていないんだろ」

僕が首をひねると、八巻はすっと目を細めた。

「去年の暮、辻野先生と一緒に怪奇現象を目撃したドクター、それが湯浅先生。先週の金曜に第八手術室で殺された被害者だったんですよ」

4

「そういうわけでさ、実家近くの病院の外科部長兼副院長に誘われているんだよ。俺みたいに腕の良い外科医で、さらに東京の病院で部長としての経験を積んだ優秀な医師が欲しいってわけだ。まあ、給料はなかなかいいし悪い話じゃないんだけど、田舎のそれほど大きくない病院だしね、迷っているんだよ。この病院に残って、上を目指した方がいいと思わないかい、小鳥遊先生？」

延々と続く黒部のセリフを聞き流しながら、僕は「そうですね」と生返事をする。数十秒ごとにこみ上げてくるあくびを噛み殺すのもそろそろ限界だった。

この病院に赴任して三日目の深夜、僕は麻酔科控室のソファーに腰掛け、二時間近く黒部の自慢話を聞かされていた。

なんの苦行なんだ、これは？　壁時計を見ると時刻は午前四時を回っている。

数時間前、救急部に腹痛の男性が救急搬送されてきた。外科の当直だった黒部が診察したところ、絞扼性《こうやくせい》イレウスで緊急手術が必要だったため、外科のオンコール（自宅に待機して、必要に応じて呼び出される当番）に当たっていた僕が呼び出され、午後十一時頃から黒部の執刀でイレウス解除術が開始された。

手術自体は順調に進み、二時間前には治療を終えた患者は手術部の上階にあるICUへと運ばれていった。あとは術後処置の指示を出し、ICU当直である麻酔科医に引き継げば仕事は終わりのはずだった。しかし、患者をICUに送ったあと、黒部に「お疲れさま、麻酔科控室で一服しないかい？」と誘われ、未だに帰路につけていない。

当直である黒部は、もともと今晩は泊りだから時間は気にしないだろうが、僕は一刻も早く帰宅したかった。明日も朝早くから勤務が待っているのだ。

まあ、もっと悲惨な人もいるけどね。僕は目だけ動かして、控室の隅に置かれたデスクに視線を送る。そこでは巨大な体を小さくした八巻が、黙々とボールペンを動かしていた。

「おい、八巻。まだ記録書き終わらねえのかよ！」

僕の視線に気づいたのか、黒部が八巻を怒鳴りつける。

「……すみません」

「ったく、本当にグズだな、お前は」黒部は吐き捨てた。

唇の端が歪んでしまう。初日から感じていたことだが、八巻に対する黒部の態度はあまりにも乱暴すぎる。たしかに、外科医にしては覇気のない八巻にも問題がないわけではないが、いくら何でも度が過ぎている。

八巻は今晩、当直でもオンコールでもない。本来、今回の手術に呼び出される義務はないのだ。しかし、黒部は「近くに住んでいるから、八巻も呼ぼう」と言い出した。さらに術後には、本来執刀医が行うべき術後の指示出しや、手術記録の記載まですべて八巻に丸投げしている。おそらく、たびたびこうして八巻をこき使っているのだろう。

聞くところによると、黒部と八巻は同じ医大の出身で、ラグビー部の先輩後輩らしい。体育会系の体質を色濃く持つ外科では、医者になった後も運動部の厳しい上下関係が継続することは珍しくない。しかも、八巻は大学医局からの派遣ではなく、この病院のスタッフ、つまりは黒部の直属の部下でもある。

部活と、この病院での二重の上下関係が、黒部と八巻の関係をいびつなものにしているのだろう。他大からの派遣で勤務している僕にはフレンドリーに対応し、八巻に対しては異常なほどつらく当たる黒部に、この三日間で嫌悪をおぼえるようになっていた。

「悪いね、小鳥遊君。うちの馬鹿が遅いせいで、まだ帰れなくてさ」

「いえ、そんな……」

あんたが全部押し付けているからだろ。僕は内心で突っ込みを入れる。

「術後指示出すだけで一時間以上かけやがって。このグズが」

「すみません。患者の呼吸状態の回復がいまいちだったもので」

怒鳴る黒部に、八巻は感情を排した声で答える。

「言い訳すんじゃねえよ、馬鹿が！　呼吸状態なんてＩＣＵ当直の麻酔科医に任せておけばいいじゃねえか」

「……すみません」

八巻の態度からは、黒部に対し完全に心を閉ざしている様子が見て取れた。

いつまでこんな雰囲気の悪い空間にいないといけないのだろう？　僕が重い瞼を揉《も》んでいると、八巻が「終わりました」とつぶやく。

「ようやくかよ。これで一段落だな。それじゃあ俺は当直室に戻るか」

黒部はソファーから立ち上がって出口に向かう。

ようやく解放か。僕は疲労のためかやけに重い腰を上げた。椅子の背にかけていた白衣を手にした八巻も、僕たちとともに部屋を出る。

手術が終わってすでに二時間以上が経ち、手術部の明かりは落とされていた。広い廊下が誘導灯の薄い光に浮かび上がっている。

……気味悪いな。僕は小さく体を震わせた。去年の初めまで大学病院で外科医をやっていたので、深夜の手術部など見慣れている。それにもかかわらず、なぜか背筋が冷たくなった。先週、この手術部で人が首を切られて殺されたという事実、そして半日ほど前に八巻から聞いた怪談のせいだろう。

ふと見ると、隣に立つ黒部が顔をこわばらせていた。その表情には明らかな怯《おび》えが見て取れる。

八巻の話によると、半年前に少年が死んだ手術で、黒部は執刀医を務めている。僕以上に気味の悪さを覚えて当然だ。もしかしたら、だらだらと話を引き延ばして僕を帰さなかったのも、この手術部で一人になりたくなかったからなのかもしれない。

「八巻。ＩＣＵに行って患者の様子を見てこい。俺は当直室に戻っている」

黒部は八つ当たりするように言う。八巻は無言のまま頷くと、手にしていた白衣を羽織った。特大サイズの白衣が、ばさりと音を立てる。

八巻が廊下の奥に向かうのを見送った僕は、身を翻《ひるがえ》すと黒部とともに手術部の入り口近くにある更衣室へと向かおうとした。

背後から聞こえてきた「うおっ！」という低い声に、僕は反射的に振り返る。見ると、五メートルほど離れたところで、八巻が立ち尽くしていた。

「なんだよ、変な声出して」黒部が苛立たしげに言う。

「か、カート……」八巻は廊下の奥を指さした。

「あ？　なんだって？」

「カートが、ひとりでに動いて、廊下を……」

「何言っているんだ、お前？　夢でも見てんのか？」

「夢じゃありません！　十字路を誰も押していないカートが横切ったんです！」

廊下の奥を指す八巻の指が震えはじめる。

「なにかの見間違えなんじゃ？」

僕がつぶやくと、八巻は首を激しく左右に振った。

「見間違えなんかじゃありません！」

八巻はいきなり駆けだした。僕と黒部は顔を見合わせたあと八巻の後を追う。

「おい、八巻。いい加減にしろよ、てめえ」

十字路で立ち尽くす八巻に追いついた黒部が、脅しつけるように言う。しかし、八巻は返事することなく、向かって右側にある廊下を見ていた。

僕は八巻の視線の先を追う。そちらには第五から第八までの手術室が並んでおり、そして手術中に器具を載せる金属製の骨組みだけでできた軽量カートが一台置かれていた。ちょうど第八手術室の前の廊下に。

廊下の突き当たりにある非常口の誘導灯が発する薄い明かりが、カートを不気味に照らし出す。

第八手術室の怪談。術中死した少年の呪い。半日前に聞いた怪談が脳裏に蘇る。

「ろ、廊下にカートがあるだけだろ。ナースが片付け忘れたんだ」

黒部の声は震えていた。

「いえ、違います！　間違いなく、あのカートがひとりでに動いたんです！」

八巻が叫んだ瞬間、まるでそれが合図であったかのように、音もなくカートが動きはじめた。誰にも押されることなく。

四つの脚についた車輪の音が、薄暗い廊下にやけに大きく響いた。

「か、風だ。風で動いているんだ！　じゃなきゃ、廊下が傾いているんだ！」

動揺が色濃くにじむ声で黒部が叫ぶ隣で、僕は口を半開きにしたまま立ち尽くす。

閉まっている第八手術室の扉にゆっくりと近づいたカートは、そこで動きを止めた。

「ほら見ろ、止まっただろ。やっぱり傾斜かなんか……」

　黒部は言葉を失う。第八手術室の鉄製の扉が、滑るように開きはじめた。手術室の自動扉は一般的なものとは開き方が異なり、扉の脇にあるフットスイッチと呼ばれるくぼみに足を差し込むことで開閉する。しかし、いまフットスイッチに足を入れている者は見えないにもかかわらず、扉は開いた。まるで、『見えない何か』が扉の前までカートを押し、そしてフットスイッチを使って扉を開いたかのように。

　透明人間。その単語が脳裏をかすめる。

　カートは再び動きだすと、第八手術室の中に吸い込まれていった。

　いったい何が……。僕が棒立ちになっていると、八巻がいきなり走り出した。第八手術室の前まで行き、躊躇《ちゅうちょ》なく中に入る。それを見て僕は我に返った。

「黒部先生、僕たちも行きましょう」

「え？　けど……」黒部は怯えた表情で僕を見る。

「八巻先生だけに任すわけにはいかないでしょ。行きますよ」

　僕が促すと、黒部は渋々と頷いた。僕は廊下を奥へと走っていく。三つの手術室の前を通り過ぎ、第八手術室へと入った。黒部も遅れて入ってくる。

　明かりの落ちた手術室は、廊下よりもさらに暗かった。僕は部屋を見回す。向かって左側の壁際に八巻がしゃがみこみ、そこにある器具棚を覗き込んでいる。それ以外に人の姿は見えなかった。

「八巻君」

声をかけると、八巻は立ち上がり、首だけまわして僕を見る。

「誰も……いません。この棚の中に隠れているかと思ったんですが……」

八巻は少しだけ体を移動させると、点滴袋や手術機器がつまった棚を指さす。たしかに、そこには手術用の道具がつまっているだけで人の姿は見えない。

僕はあらためて、部屋を見回した。部屋の中央には無人の手術台が置かれ、その傍らに、さっきひとりでに移動していたカートが置かれている。念のため、手術台の陰や、天井からぶら下がっている無影灯まで確認するが、やはり人影を見つけることはできない。

いったいどうなっているんだ？　僕は片手で頭を押さえる。

ひとりでに動いたカートと開いた自動扉、そして先週、この部屋で『目に見えない何か』に襲われて死んだという麻酔科医。

再び頭に浮かんだ『透明人間』という言葉を、僕は必死に掻き消す。その時、ドンッという腹の底を震わすような音が響いた。僕と黒部は音がした方向、この部屋と第七手術室とを隔てる壁を見る。

「第七手術室に誰かいます！」壁に耳をつけながら、八巻が声を上げた。

「黒部先生、隣の部屋に行きますよ！」

僕は黒部に声をかけて第八手術室を出ると、隣にある第七手術室の扉のわきにあるフットスイッチに足を突っ込む。滑るように開いていく扉の隙間に、僕は体をねじ込んだ。すぐに黒部も部屋に入ってくる。

僕は目を凝らして部屋中を見回す。しかし、……やはり誰もいなかった。

「どういうことなんだ……」

口から無意識に声がこぼれた。隣では黒部が怯えた表情で、周囲に視線を送っている。

そのとき、背後から足音が聞こえてきた。振り返ると、足首まで届きそうな丈長の白衣を羽織った羆《ひぐま》のようなシルエットが、廊下から差し込む誘導灯の光に浮かび上がっていた。

「この辺りには何かがいます。……普通じゃない何かが」

八巻の陰鬱な声が、冷えたはらわたに染み入っていった。

第二章　手術部に蠢《うごめ》く影

1

「というわけなんです」

僕が説明を終えると、目の前のソファーに腰掛けていた人物が顔を上げた。

「ふぁるふぉふぉ……」

「食べ終わってから喋ってください。カレーが飛ぶから」

僕はリスのように頬を膨らましている鷹央《たかお》に突っ込む。鷹央は一瞬不満げな表情を浮かべると、手にしていた皿を口まで持ち上げ、残っていたカレーライスをスプーンで掻き込みはじめる。

「そんなに急いで食べたらのどに詰まりますよ」

僕が慌てて声をかけると、鷹央は案の定「うっ⁉」と声を漏らし、若草色の手術着に包まれた胸を叩《たた》きだした。

　言わんこっちゃない。僕は冷めた目で鷹央を眺めながら、手にしていた缶コーヒーを差し出す。鷹央は両手でそれをひったくると、一気にあおった。

　大きく息を吐いたあと、鷹央は「苦い……」と恨めしそうに僕を見た。

「そりゃ、ブラックコーヒーですから」

「何が楽しくて、そんな苦い液体を飲んでいるんだ？」

「大人には分かるんですよ、この苦みの良さが」

　僕は唇の端を上げると、鷹央の手から缶コーヒーを取り返し、わずかに残っている中身を喉に流し込んだ。いきなりクビにされて、他の病院に潜入させられたのだ。これぐらいの皮肉は許されるだろう。

「私だってれっきとした大人だ」「苦いのがいいなんてわけが分からない」とかぼやいている鷹央の言葉を聞き流しつつ、僕は壁時計に視線を向ける。午後八時を少し回っていた。

　八巻《やまき》、黒部《くろべ》と未明の手術室の前で怪奇現象を目撃した日、清和総合病院での勤務を終えた僕は、その足で天医会総合病院の屋上にある鷹央の〝家〟へとやってきた。

　理事長の娘という立場をめいっぱい使って屋上に建てた、赤レンガ造りのファンシーな〝家〟の扉を開けて室内に入ると、鷹央は片手を上げ「よし、それじゃあ任務報告を聞くとしよう」と言い出したのだった。

スパイのように清和総合病院で勤務している僕は、これまでも定期的に鷹央に連絡を入れ、その日に手に入れた情報を伝えていたのだが、今朝、鷹央に電話した際、未明に目撃した怪奇現象について伝えると、鷹央は「今晩、家に来い。詳しく話を聞きたい」と言い出したのだった。

「それで、何かわかりました？　なんであんな怪奇現象が起こったのか」

「なかなか面白そうな話だな」鷹央の顔に無邪気な笑みが浮かぶ。

「面白そうって、人が死んでいるんですよ。しかも、その容疑者は鴻ノ池《こうのいけ》で、このまだと逮捕されるかもしれない。それを忘れないでくださいね」

僕が湿った視線を投げかけると、鷹央は大きく手を振った。

「忘れてなんかいない。けど、いくら悲惨な事件でも、そこにある〝謎〟が魅力的なことには違いないだろ。〝謎〟を解くことを楽しもうが楽しむまいが、解決すれば結局同じことだ。大切なのは結果で、過程じゃない」

素直に納得はできないものの、僕は反論しなかった。

超人的な頭脳を持つ反面、他人の気持ちを推し量る能力に劣っている鷹央は、〝論理〟という眼鏡を通して世界を見ている。彼女の目に映る世界は、僕が見ている世界とは異なったものなのだろう。

お互いが違う価値観を持っていることを理解し、尊重することができたからこそ、鷹央と僕はこの九ヶ月間、（それなりに）うまくやってくることができた。そう思っているので、僕は可能な限り、鷹央の価値観に口出ししないようにしていた。そして、おそらく鷹央も（彼女なりに）僕の価値観を尊重しようとしてくれている。

ふと、僕はあることが気になって口を開く。

「あの、鷹央先生、大丈夫ですか？」

「ん？　何がだ？」鷹央はネコを彷彿させる大きな目をしばたたかせた。

「いえ、僕がいなくてもやっていけているのかなとか、思いまして……」

「お前がいないと、私が何もできないとでも言うつもりか。ちゃんと、入院患者の管理もやっているぞ。他の科から依頼された患者の診察もな」

「そうでしょうね」

それらについては、もともと心配はしていない。複雑な症状を呈した患者を診察し、診断を下すことについては、鷹央は超一流だ。問題は……。

「ちなみに、外来は？」

僕は一番気になっていたことを訊ねる。統括診断部の外来は、他科で診断がつかなかった患者が送られてくるという建前になっている。しかし、それはあくまで建前で、実際に送られてくる患者の大半は、『診断が難しい患者』ではなく、『扱いが難しい患者』だ。外来でクレームをまくしたてたり、疾患とは関係ない話を延々と語り続けるような患者が多く送られてくるのだ。

　これまで、統括診断部の外来では、僕が患者の話を辛抱強く聞き、そのあいだ鷹央は衝立《ついたて》の裏で読書などをしていた。そして、患者が本当に診断困難な疾患に罹《かか》っていたときのみ、衝立の陰から姿を現して診察を開始するのだった。

　しかし、いまは聞き役の僕がいない。鷹央にその役目が務まるとは思えなかった。扱いが難しい患者の相手をするのに一番大切なのは、相手の気持ちを敏感に読み取り、感情を害さないよう気をつけつつ、不満を吐き出させることなのだ。

「大丈夫に決まっているだろ。うまくやっているよ」

　僕が「本当ですか？」と疑いの視線を向けると、鷹央は露骨に視線を外した。

「なにをやったんですか⁉」

「べつになにもやっていない。ただ、最初にきた患者の男が『大学生の娘に恋人ができたらしい。外泊してくることもあり、そのせいで気分が冴《さ》えない』って言ってきたから、『大学生なら恋人ができても、なんの不思議もない。反対してもしかたがないんで、とりあえず避妊だけはしっかりするように指導してやれ』って即答したんだ」

「なんてことを⁉」

「間違ったことは言っていないだろ。ちゃんと『避妊具を使うことで望まない妊娠は防げるし、性病などにかかるリスクも減る』って説明してやったぞ」

「なんてことを⁉」

「なんだよ、でかい声出して。そもそも、検査で器質的疾患が否定されているのに、うちに回ってくる方がおかしいんだ。統括診断部は疾患を診断する科なんだぞ。悩み相談の科じゃない」

「それはそうですけど……」

たしかに鷹央の言うことは正論だ。ただ、正論が〝正しい〟かと言うと、それはまた別問題なのだ。

「まあ、そんな感じで、最初の数人の患者はなぜか怒ってすぐに帰っちまった。それが姉ちゃんの耳に入ったらしくて、いまはなんとかうまくやっている」

「うまくやっているって、どうなっているんですか？」

「お前の代わりに、他の科を回っている研修医に患者の話を聞かせているんだ。私はいつも通り、衝立の裏にいる。これで問題ない」

きっと、鷹央の姉でこの病院の事務長を務める天久真鶴《あめくまづる》が、他科の部長たちに必死に頼み込んで、一時的に研修医を派遣してもらっているのだろう。

「研修医たちはなにか文句を言っていないんですか？」

「文句？　べつにないと思うぞ。あいつら、特に何も言ってこないからな」

鷹央の返答を聞いて頬が引きつる。ほとんど指示も出さないで衝立の裏にいる鷹央に戸惑って、声をかけられないでいるのだろう。

研修医たちの苦労を想像して、僕は彼らに同情する。

いや、悠長に同情している場合ではない。さっさと事件を解決して、僕が統括診断部に戻らない限り、真鶴と研修医たちの受難は続くのだ。

「ちなみに鷹央先生。『透明人間の謎』について、なにか分かりましたか」

本題に戻ると、どこかつまらなそうな顔をしていた鷹央の顔が輝いた。

「いろいろと可能性は思いついた。とりあえず、これを見ろ」

鷹央は体を大きく前傾させると、ソファーの下に手を入れた。何をしているのかと僕が首をひねっていると、鷹央はそこから細く巻かれた紙を取り出し、ソファーの前に置かれたローテーブルに広げる。それはＡ３サイズの設計図だった。

「これって……」

「そう、清和総合病院手術部の設計図だ」鷹央は得意げに胸を張る。

「どこでこんなものを？」

「あの病院は三年ほど前に手術部含め、病院全体を大きく改築している。それを請け負った建築会社に電話して、『うちの病院も近々手術部の改築を検討している。清和総合病院の手術部の改築が素晴らしかったので、そちらに頼みたい。ついては、あの病院の手術部の設計図を持ってきて詳しく説明してくれないか』って頼んだんだ」

「なるほど……」

この天医会総合病院クラスの大病院を改築するとなれば、大きな事業になる。建築会社にとってはぜひ受注したい案件のはずだ。副院長でもある鷹央からそんな依頼があれば、すぐにでも設計図をもって飛んでくるだろう。

「お前たち三人はこの麻酔科控室から廊下に出たんだな。そしてそこで別れた」

「はい。僕と黒部先生は手術部の出口の方に、八巻君は逆にＩＣＵに繋がるエレベーターがある方に行って……」

僕は設計図を指さしながら、今朝の未明に起こったことをもう一度説明していく。全《すべ》ての説明を終えると、鷹央は「なるほどな」と、満足げに頷いた。

「なるほどって、何が起きたのか分かったんですか？」

「まだ、あくまで仮説だけどな。ただ、可能性は高いと思うぞ」

「それじゃあ、鴻ノ池の疑いを晴らせるんですか？」

僕が勢い込んで訊ねると、得意げだった鷹央の顔がかすかに歪んだ。

「いや、これが正しいからと言って、すぐ舞《まい》が助けられるわけじゃない。ただ、その一歩になる可能性はある」

言葉を切った鷹央は、腕を組んで目を閉じると、ぶつぶつと独り言をつぶやきはじめた。鷹央が思考するときのスタイルだ。僕は邪魔をしないように、無言で待つ。

三分ほど考え込んだあと、鷹央は目を開いた。その顔に、にやーといやらしい笑みが浮かんでいく。またなにか、ろくでもないことを思いついたらしい。

「鷹央先生、いったい何を……」

僕が鷹央に訊ねかけると、ノックの音が響いた。

「鷹央、ちょっといいかしら」

扉の外から響いた涼やかな声に、僕はおもわず居ずまいを正す。

「ああ、姉ちゃん。いいぞ」

鷹央が返事をすると扉が開き、鷹央の姉である天久真鶴が部屋に入ってきた。

一七〇センチを超えるスレンダーな長身。高く形の良い鼻、薄く紅が差された唇、少し垂れぎみの大きな瞳《ひとみ》。息を呑むほどに整った外見にもかかわらず、その全身からは柔らかい雰囲気が醸《かも》し出されている。僕は表情が緩まないように顔の筋肉に力を込める。

「えっ？　小鳥遊《たかなし》先生？」僕に気づいた真鶴は目をしばたたかせる。

「はい、なんでしょう？」

何をそんなに驚いているのだろう？　一時的にでも清和総合病院に勤めている僕が、ここにいるとは思わなかったということだろうか？

「あの、もう大丈夫なんですか?」真鶴はためらいがちに訊ねてくる。

「大丈夫?」

「ああ、かなり調子はいいみたいだ。それより姉ちゃん、どうかしたのか?」

僕が首をひねっていると、鷹央がにやけながら声を上げた。

「そうなんですか。順調なら良かったです。えっとね、鷹央。院長を説得したんだけど、難しそうなの。いますぐっていうのは何とか防げたけど」

真鶴の哀しげな言葉を聞いて、鷹央の顔に浮かんでいた笑みが引っ込む。

「そうか。……ありがとう、姉ちゃん」

「あの、なんの話ですか?」

僕が訊ねると、真鶴は「小鳥遊先生にあのことは?」と小声で言う。鷹央は大きく頷いた。真鶴は僕に向き直ると、ためらいがちに口を開いた。

「小鳥遊先生、当院研修医の鴻ノ池舞さんがいま、なんと言うか……、トラブルに巻き込まれていることはご存知ですか?」

「ええ、もちろん」そのせいでクビにされ、スパイの真似事《まねごと》をしているのだ。

「今週はじめから、警察の方がうちの病院にやってきて、鴻ノ池さんについて色々と聞き込んでいます。その方々は、鴻ノ池さんが清和総合病院で起こった事件の、最有力容疑者であると臭《にお》わせてきました」

「そんな……」

「抗議しようとも思ったんですけど、警察の方々もはっきり『容疑者だ』とは言わないで言外に臭わせているだけなので、それもできません。噂は病院中に広がって、院長の……叔父の耳にも入ってしまいました」

表情が歪んでしまう。この天医会総合病院の院長であり、鷹央と真鶴の叔父でもある天久大鷲《おおわし》。周辺の地域医療を高いレベルで維持するためには、病院の経営を安定させることが最も重要であるという固いポリシーを持つあの人物が、今回の件を知ったら……。

「叔父は早急に鴻ノ池さんを解雇した方がいいと言い出しました」

真鶴は力なく首を左右に振る。予想通りの展開に、僕は唇を嚙んだ。

「舞が犯人と決まったわけじゃない。逮捕もされていないんだ。それなのにクビにするなんて馬鹿げている！　不当解雇だ！」鷹央は拳を握りしめる。

「ええ、だからいますぐ解雇する案は取り下げてもらいました。ただ、鴻ノ池さんが逮捕されたら解雇する。その決意は固くて説得できなかった。ごめんなさい」

「逮捕されたからって、舞がやったとは限らないだろ。裁判を行って有罪判決を受けてはじめて犯罪者とみなされるんだ。それまでは推定無罪の原則が適用されるはずだ」

鷹央はソファーから腰を浮かす。たしかに鷹央の言っていることは間違っていない。

『正論』だ。しかし、やはり正論だけでは社会は動かない。

今回の事件はかなりショッキングな事件だ。まだ殺人事件と確定情報が出ていないおかげで、マスコミはそれほど騒ぎ立てていないが、もし警察が逮捕に踏み切れば事態は激変するだろう。容疑者として鴻ノ池の名前が発表され、この天医会総合病院の研修医であるということも公《おおやけ》になる。病院前に大量のマスコミが押しかけ、診療に支障をきたすことは想像に難くない。東久留米市一帯の基幹病院となっている天医会総合病院がそんな状態になれば、地域医療にとって大きなマイナスになる。

「鷹央、あなたの言う通りよ。でも、逮捕となると病院の運営に大きな影響が出る。理事会も院長の案を承認するはず。もちろん、裁判で無罪になれば復職も可能だろうけど……」真鶴は歯切れ悪く言う。

「裁判になったら何年も舞は拘束されることになる。研修医は様々な知識や技術を吸収しているけれど、まだ定着していない。そんな長い期間、臨床から離れれば、せっかくこの一年で身に着けたものが無駄になるかもしれない」

身を乗り出す鷹央の前で、真鶴は目を伏せて「……ごめんなさい」とつぶやくことしかできなかった。

震えるほど強く握りこまれていた鷹央の拳から、ふっと力が抜ける。

「姉ちゃんを責めてもしょうがないよな。ごめんな姉ちゃん、いろいろ無理を言って。

状況は分かったよ」

再びソファーに腰掛けた鷹央は、鋭い視線をローテーブルの上の設計図に注ぐ。そんな鷹央を見て、一瞬口を開きかけた真鶴だったが、かけるべき言葉が見つからなかったのか、ゆっくりとうなだれた。

部屋に湿った沈黙が降りた。真鶴は僕に近づくと、耳元に口を近づけてくる。

「小鳥遊先生」囁き声が耳朶《じだ》をくすぐり、背中に妖しい震えが走る。「もう少し、ここにいてくださいますか？」

「ええ、もちろん」僕は小声で答える。もともとそのつもりだった。

「こういうときは、きっと私よりも小鳥遊先生がそばにいた方が、鷹央にとっていいと思うんです。申し訳ありませんが、よろしくお願いします」

真鶴は小さく頭を下げた。僕がいることで、鷹央を励ますことができるのかは分からなかったが、僕は「はい」と頷いた。真鶴は寂しそうな笑みを浮かべる。

「鷹央、私は行くわね。それじゃあ小鳥遊先生、えっと……お大事に」

真鶴は部屋を出て行った。しかし、「お大事に」とは？

部屋が再び重苦しい沈黙で満たされる。僕が声をかけるタイミングをうかがっていると、鷹央は設計図に視線を注いだまま、ぼそりとつぶやいた。

「逮捕されたら、舞がクビ……か」

「そうみたいですね」

「ならその前に、私たちが事件の真相を暴けばいい！　そうすれば、舞が逮捕されることも、クビになることもないはずだ」

僕を見た鷹央は力強く言う。その言葉に思わず笑顔になってしまう。

「ええ、その通りです。鴻ノ池は人を殺してなんかいないはず。それを証明しましょう。……けれど、その前にちょっと確認したいことがあります」

「確認したいこと？」鷹央は小首をかしげる。

「僕が清和総合病院に移ったこと、真鶴さんにはどう説明しているんですか」

金曜日に僕を一時的にクビにして、清和総合病院に潜入することを指示したとき、鷹央は「事務手続きとかは、私がやっておくから安心しろ」と言い放った。それを信じて任せていたのだが、さっきの真鶴のなにやら微妙な反応を見て、不安が胸に湧いてきた。

「ああ、お前は持病が悪化して手術の必要があるんで、二、三週間休むことにしてある」

え、休んでいることになっているのか？　それって、あとあと税金とか保険の関係で面倒なことにならないのか？　いや、それよりも……。

「なんの手術をしたことにしたんですか？」

「痔《じ》だ」

「ふざけんな！」声が裏返る。

「なんだよ、急に大きな声出して。痔核の手術なら、それほどかからないで勤務に復帰できるからちょうど良いだろ」

「そういう問題じゃありません！　なんでよりによって⁉　しかも真鶴さんに！」

僕がぐいっと顔を近づけると、鷹央はぱたぱたと手を振った。

「分かった分かった。それじゃあ、鼠径《そけい》ヘルニアがひどくなったとか、尻の粉瘤《ふんりゅう》が化膿して切開したと言っておくよ」

「だから、なんで下半身の病気ばっかりなんですか！　少なくとも真鶴さんには、本当のことを言ってください！」

「でも、勝手にお前をクビにして、あっちの病院で勤務させたって言ったら、姉ちゃんに怒られるかも……」

「本当のことを、言ってください！　しっかりと！」

僕は額がくっつきそうなほど顔を近づけると、一言一言区切って、言い聞かせる。

鷹央は唇を尖らせると「分かったよ」と僕の顔を平手で押した。

「そんなことより、お前にやって欲しいことがある」

いや、「そんなこと」って……。

「……やって欲しいことってなんですか？」

僕が憮然《ぶぜん》とした口調で訊ねると、鷹央は左手の人差し指をぴょこんと立てた。

「『透明人間』を脅迫するんだ」

2

「本当に来るんですか？」

「いいから黙って待っていろよ」

若草色の手術着の上にぶかぶかの白衣を羽織ったいつも通りの格好で椅子に腰かけ、英字の医学雑誌を読んでいた鷹央は、面倒くさそうに手を振った。普段着の僕は小さくため息を吐きながら腕時計に視線を落とす。あと数分で午後九時になるところだ。

鷹央の指示を受けた翌日の夜、僕は天医会総合病院の十階にある、統括診断部の外来にいた。

鷹央いわく、今日の午後九時、ここに『透明人間』がやってくるということだ。

本当に、あんなことで犯人がやってくるというのだろうか？　僕は鷹央の指示に従って、今日の昼に行ったことを思い出す。

昨夜、「『透明人間』を脅迫するんだ」と言い出した鷹央は、パソコンでなにかを書き、プリントアウトした用紙を封筒に詰めると、それをとある人物に渡すように指示した。そして今日の昼過ぎ、僕は指示通り、その人物に封筒を渡した。

普通に考えたら、封筒を受け取った『彼』こそが、『透明人間』なのだろう。しかし、どんなに考えても、『彼』に昨日の未明に目撃したあの事件を起こせたとは思えなかった。それに……。

僕は小さく身を震わせる。『彼』が『透明人間』だとしたら、昨日の未明の事件だけでなく、先週起こった麻酔科医殺害事件の犯人であるかもしれないのだ。そんな男を呼び出して、何事もなく済むとは思えなかった。

「鷹央先生」緊張が限界に達して、僕は再び鷹央に声をかける。

鷹央は「なんだよ、さっきから」と、読んでいた雑誌をデスクの上に置いた。

「いえ、成瀬《なるせ》さんとかは呼んでいないのかと思いまして」

「成瀬？　なんであの石頭の刑事を呼ぶんだよ？」

「だって、相手は犯罪者でしょ。警察に引き渡さないと」

「警察に引き渡す？　なに馬鹿なこと言っているんだ。そんなことしたら、脅迫できないじゃないか」

僕は混乱する。てっきり、『脅迫』というのは、あの封筒で「お前の犯行を知っている。ばらされたくなかったら今夜九時、天医会総合病院に来い」と脅すことだと思っていた。しかし、犯人を脅迫するのはいまからのようだ。

この人は、いったい何をするつもりなんだ。不吉な予感が胸を満たしていく。

「鷹央先生、いったい彼が何をしたんですか？」

「内緒だ」鷹央は下手くそなウィンクをする。

鷹央の秘密主義はいつものことだが、いまはそんな状況ではない。今回の事件では人が殺されているのだ。

「はぐらかさないでください。そもそも……」

そこまで言ったところで、僕は言葉を切って振り返る。扉の向こうから足音が聞こえてきた。夜勤看護師のものとは明らかに異なる、重い足音が。壁時計を見ると、時刻はちょうど午後九時になっていた。

「おしゃべりしている暇はないぞ。『透明人間』のおでましだ」

鷹央がピンク色の唇を舐めると同時に、扉がゆっくりと開いていく。そこには予想通りの人物が立っていた。

「……八巻君」

僕は憮然とした表情で入り口に立つ大男、八巻亮《りょう》の名を呼ぶ。

「いったいなんの真似ですか、小鳥遊先生。こんなところに呼び出すなんて。この病院と先生は、どんな関係があるんですか？」

扉を閉めた八巻は、鼻の付け根にしわを寄せながら僕を睨みつける。半袖のポロシャツからのぞく丸太のように太い腕に、僕は警戒心を強くする。僕は数時間前に医局で、指示された通り鷹央から預かっていた封筒をこの男に渡していた。

「私の部下だ」僕に代わり、鷹央が快活に答えた。

「部下？」八巻の顔に困惑が浮かぶ。

「こいつは私の命令で、清和総合病院の外科にスパイとして潜入しているんだ」

「スパイって……。そもそも、あんた誰なんだよ？」

「私は天久鷹央、天医会総合病院統括診断部の部長だ」

鷹央は胸を張ると「ちなみに、この病院の副院長でもある」と付け加えた。

八巻の顔に浮かぶ困惑が濃くなる。一見したところ、高校生、下手すれば中学生に見間違われる鷹央が、この大病院の部長と副院長を務めていると言われても、すぐに納得できるわけもない。

「あと、お前を呼び出したのは小鳥《ことり》じゃない。私が命令して、あの封筒を渡させたんだ」

「小鳥？」

首をひねる八巻に、僕は小声で「僕のあだ名だよ」と教える。

「じゃあ、あんたが俺を呼び出したっていうんだな。なんでそんなことしたんだ！」

巨体の八巻が吠《ほ》える姿は、二本足で立ち獲物に襲い掛かろうとする羆《ひぐま》を彷彿させた。

しかし、鷹央は余裕の笑みを浮かべたまま、動じることはなかった。

「『透明人間の謎』を解明するために決まっているだろ」

「透明人間……？」八巻はおうむ返しに言う。

「そうだ。先週お前が勤めている病院の手術室で起こった事件で、最有力容疑者になっているのは、うちの病院の研修医だ。あいつの容疑を晴らすために、私は『透明人間』の正体を暴く必要がある。だから、お前を呼び出したんだ」

「なんで俺を⁉ 俺はなにも関係ない！」

声を荒げた八巻の前で、鷹央は鼻を鳴らす。

「関係ないなら、なんでここに来た？」

八巻の口から「えっ？」という、呆けた声が漏れる。

「小鳥がお前に渡した封筒の中には、この病院の裏口を開けられるパスカードと、『お前たちが昨日の未明、何をしたのか全部知っている。もしばらされたくなかったら、何も訊《き》かずに今日の午後九時、天医会総合病院十階にある統括診断部外来診察室に来い』と書いた紙が入っていたはずだ。もしお前が本当に『透明人間』と関係ないなら、なんでわざわざ指示通りにここにやってきたんだ？」

鷹央は上目遣いに八巻を見る。八巻は軽く身をのけぞらせた。

「誰だって、あんな思わせぶりな手紙を送りつけられたら、気になるだろ」

「苦しい言い訳だが、まあいいだろう。つまり、おまえは『透明人間』の件にはまったく関係がないって言いはるんだな？」

「そ、そうだ！」八巻は自らを鼓舞するように、声を張り上げる。

「そうか、それなら仕方がないな」

鷹央は軽くウェーブのかかった黒髪を掻くと、立ち上がった。

「話す気がないなら時間の無駄だ。昨日お前が何をしたかは、清和総合病院に直接連絡して、推理が正しいか確認を取るとしよう」

鷹央は「小鳥、帰るぞ」と声をかけてくる。そんなあっさり引き下がっていいのだろうか？　僕は戸惑いつつも、鷹央と並んで出入り口に近づいていく。

「ほら、邪魔だからどけ。私は自分の〝家〟に帰るんだから」

出入り口の前に立ち塞がっている八巻に、鷹央が声をかける。

「……」

八巻は苦悩の表情を浮かべたまま動かなかった。

「早くどけって。あっ、ちなみに小鳥。今日、清和総合病院で外科当直をしているのは誰だ？　いまから連絡を入れようと思って……」

「分かった！」八巻の声が鷹央のセリフを掻き消した。

「なにが分かったんだ？」鷹央の顔に皮肉っぽい笑みが広がっていく。

「あんたの言う通りだ。俺が昨日の『透明人間』の正体だ。認めるから、病院には電話しないでくれ！」

投げやりに言う八巻を、僕は呆然と眺める。

「ようやく認めたか。まったく往生際《おうじょうぎわ》が悪い」

鷹央はこれ見よがしに肩をすくめると、八巻を睨め上げる。

「それで、指示通り『共犯者』も連れてきているんだろうな。私はちゃんと『共犯者と一緒に来るように』と、指示しておいたはずだぞ」

共犯者⁉ 目を見張る僕の前で、八巻は力なく扉を開く。そこに立っていた人物を見て、僕の目はさらに大きくなった。

「……すみません」

ワンピースを着た小柄な女性、清和総合病院の看護師である秋津野乃花《あきつののか》は、蚊の鳴くような声で言った。

「あの、これっていったいどういうことなんですか？」

並べた患者用の椅子に腰掛け、同じようにうなだれている八巻と野乃花を眺めながら、僕は隣に座る鷹央に声をかける。

部屋の外に立っていた野乃花を診察室に招き入れた鷹央は、二人を椅子に座らせた。僕と鷹央は二人の対面に置かれた椅子に腰を下ろしている。

「だから、この二人がお前が目撃した『透明人間』の正体だよ」

鷹央は上機嫌に、左手の人差し指をぴょこんと立てた。

「透明人間って、じゃあこの二人が昨日の怪奇現象を……？」

「おいおい、あんなの怪奇現象でもなんでもないぞ。くだらないトリックだ。お前の目が節穴だから、まんまと騙《だま》されただけだ。私はお前の説明を聞いた時点で、こんな子供だましすぐに気づいたぞ」

すみませんね、すぐに気づかないぼんくらで。

「じゃあ、あのひとりでに動いたカートも、八巻君と秋津さんがやったことだっていうんですか？」

「ああ、その通りだ」鷹央は鷹揚《おうよう》に頷いた。

「でも、どうやって？　リモコン的な何かで操作したとか？」

頭に浮かんだアイデアを口にすると、鷹央の目に呆れの色が浮かんだ。

「自分で言っていただろ、動いたカートは骨組みだけの簡素なつくりだって。そんなものにリモコン装置なんてつければ、目立つし証拠が残っちまう。この二人はもっと単純な方法を使ったんだよ」

僕は「単純な方法？」とつぶやきながら、八巻たちを見る。二人は硬い表情で黙り込んでいた。自分たちから話す気はないようだ。

「おそらく、細い糸だろう」

「糸？　糸を使ってあのカートを引っ張ったって言うんですか？」

「そのとき、手術部は誘導灯の明かりしかついていなくて薄暗かったんだろ。そんな環境なら、遠目では細い糸なんて見えないのも当然だ」

「いや、たしかに見えないかもしれませんけど。カートは第四までの四つの手術室が並ぶ廊下から、十字路を通過して第八手術室の前まで移動したんですよ。いくら何でも、そんなに長い糸を使ったら目立つし、回収だって大変でしょ」

僕は昨日起きたことを思い起こしながら、疑問を口にしていく。

「それに、カートが通過してすぐ、僕たちは十字路に行ったんです。第八手術室の前まで糸でカートを引いたなら、僕たちに見つかっているはずです」

「お前、カートが十字路を通過したのを見たのか？」

鷹央の質問に虚を突かれ、僕は「えっ？」と声を漏らす。

「昨日聞いた話では、お前と黒部っていう医者がロッカーに向かおうとしたとき、その八巻が驚き声を上げて、『カートがひとりでに動いて十字路を横切った』と言ったはずだ」

「じゃあ、もしかして……」僕は驚いて八巻を見る。

「ああ、その男の狂言だ。実際は、カートはあの十字路を通過してなんていない。最初から、第八手術室の前にセットされていたんだ」

「そして、僕たちが十字路に到着したのを見計らって……」

「そう、それを確認して糸を引いて動かしたんだ。その女がな」

鷹央は野乃花を指さす。野乃花はもともと小さい体をさらに縮こめた。

「で、でもですね、カートは糸で引いたとしても、自動ドアはどうなるんですか？誰もフットスイッチに足を入れていないのに、ドアは開いたんですよ」

「お前、本気で言っているんじゃないだろうな？　たった数日外科で仕事しただけで、頭の使い方を忘れたのか？　使わないなら、脳みその代わりに頭蓋骨《ずがいこつ》に蟹《かに》みそ詰めるぞ。食える分、その方が意味がある」

鷹央の辛辣な言葉に首をすくめた僕は、慌てて状況を整理する。

廊下には誰もいなかったのに、フットスイッチでしか開かないドアが開いた。そして、カートは細い糸で引かれていた。

僕は「あっ！」と声を上げる。なんでこんな簡単なことに気づかなかったんだ。羞《しゅう》恥《ち》で顔が火照《ほて》ってくる。蟹みそ並の脳みそと言われても仕方がない。

「糸を引いていた人物が開けたんですね。手術室の中から」

僕が答えると、鷹央は「やっと気づいたか」と、大きなため息をつく。

そう、各手術室の自動ドアを開くためのフットスイッチは、廊下にだけではなく、手術室の中にもある。そうでなければ、手術室内の者が扉を開けられない。

「廊下のフットスイッチに誰も足を入れていないのに自動ドアが開いた。それを聞いた時点で、私は手術室内に誰か潜んでいる可能性に気づいた。その人物が糸を使ってカートを引っ張り込んだと考えれば辻褄《つじつま》が合う」

「でも、鷹央先生。僕たちはすぐに第八手術室に入ったんですよ。けれど、秋津さんはいませんでした。あの手術室には隠れる場所なんてないはずです」

「いや、あったぞ」鷹央は正面に人差し指を向ける。「この男こそ『隠れ場所』だ」

鷹央に指さされた八巻は、目を伏せた。

「八巻君が、隠れ場所……？」僕はまばたきを繰り返す。

「カートが手術室に吸い込まれたあと、この男はすぐに廊下を走って手術室に向かった。その時、この男は足首まで隠れるような白衣を羽織っていたんだろ」

「もしかして……」僕は口を半開きにして八巻と野乃花を見る。

「そうだ。この男は自分の白衣の中に共犯者を隠したんだ。その女はかなり小柄だから、大男の白衣の中に隠れるのは難しくなかっただろうな。もちろん、カートに取り付けていた糸は、すでに女が回収していたはずだ」

「じゃあ、あのとき……」

「ああ、手術室に入った時、お前がしっかり観察すれば、白衣の中に誰かが隠れているのに気づいたかもな」

僕のセリフを引き継いだ鷹央は、唇の片端を上げる。

「ちなみに、ここに来るように指示した手紙をお前を通して渡したのは、それが理由だ。お前からあの手紙を渡されれば、事件のとき白衣の中に共犯者がいたことに気づかれたと思って、無視はできないだろうからな」

そこまで計算していたのか。相変わらず、先を読む能力が飛び抜けている。

「まあ、しっかり観察されないために、隙をついて壁を叩いたんだろうな。そうして、隣の部屋から音が響いたと言って、まだ混乱状態の小鳥たちを隣の第七手術室に向かわせた。お前たちが第七手術室を探している間に、女は第八手術室を出てすぐにある非常口から脱出した。こんなところだろ」

鷹央は言葉を切ると、八巻に視線を注ぐ。

「さて、私の説明は以上だが、なにか反論はあるか」

鷹央は八巻と野乃花に水を向ける。二人が反論することはなかった。

「しかし、かなり荒い作戦だよな。たしか、手術部はカメラで録画されているんじゃなかったか？　もし映像を見返せば、お前が手術室に前もって隠れるのも、隙をついて非常階段から逃げたのも、すぐにばれるだろ」

鷹央が話しかけると、野乃花は首を左右に振った。

「いえ、カメラ映像が録画されているのは、午前七時から午後十時までです。それ以外の時間は、緊急手術を行っているときだけしか録画しません」

「なるほど、そこまで計算ずくだったのか」

納得する鷹央の隣で、僕は必死に頭を働かせる。昨日の未明に目撃した怪奇現象は、八巻と野乃花の二人で引き起こしたものだった。それじゃあ……。

「それじゃあ、先週の麻酔科医が殺された事件も、八巻君と秋津さんが……」

僕がつぶやくと、うなだれていた八巻が勢いよく顔を上げた。

「違います！　たしかに昨日のことは俺たちがやりました。けれど、湯浅先生の件にはかかわっていません。本当です！」

前のめりになりながら、八巻は必死の形相で言う。その隣では、野乃花が訴えかけるような眼差しでこちらを見ていた。

たしかに、全容が解明されてみると、昨日未明の事件はたちの悪いいたずら程度のものだ。先週起こった殺人事件とは一線を画している気がする。

「鷹央先生、これって……」

僕が声をかけると、鷹央は小さく鼻を鳴らした。

「麻酔科医が殺された事件と、この二人が起こした事件は全くの別物だ」

　安堵の表情を浮かべる八巻と野乃花を、鷹央の鋭い視線が射抜いた。

「だからと言って、先週の事件と関係ないかといえば、そんなことはない。それに、いま私が語ったことを警察に言えば、お前たちは麻酔科医殺しの容疑者になるだろう。私だって積極的には疑ってはいないだけで、お前たちが麻酔科医を殺害した可能性を完全に排除したわけじゃない」

「そんな！　俺たちは湯浅先生を殺してなんかいません。信じてください」

「信じて欲しいなら、もう隠し事はするな。全て正直に話せ。いいな」

「……はい」

　八巻と野乃花は力なくあごを引いて同意を示した。

「あの、昨日の件がどうやって起きたかは分かりましたけど、そもそもなんでそんなことを？　それに、麻酔科医殺害事件と関係なくはないっていうのは？」

　僕が首を傾けると、鷹央は「ここからはあくまで私の想像だがな」と前置きして、八巻たちに向き直る。

「お前たちは先週の事件で職員たちが動揺しているのを見て、それを利用することを思いついたんじゃないか。そして前もって綿密に計画を立てた。お前は以前からオンコールでもないのに上司が当直の際、深夜の緊急手術によく呼び出されていた。だから、次にそういうことがあった時に計画を実行することにしていた。昨日の未明、手術が終わった後、患者の様子を見にいくとでも言って一人になり、この女に連絡をして計画の大まかな開始時間を決めた。そして、麻酔科控室を出たとき、時間に合わせて計画の準備を整え、廊下の奥で隠れて様子をうかがっていたこの女に合図を送って、計画を実行したんだ。自分たちの目的を果たすために」

「目的？　それってなんですか？」

「簡単だ、怪奇現象によってターゲットを怯えさせることだ」

「ターゲットって……、もしかして僕？」僕は反射的に自分を指さす。

「違う。お前みたいな部外者、この二人の眼中にはなかったはずだ。もう一人、怪奇現象を目撃した奴がいただろ」

「黒部先生……ですか」僕がつぶやくと、八巻と野乃花の口元に力が入った。

「ああ、そいつだ。この二人はおそらく、その黒部っていう外科部長を脅かしたかったんだ。小鳥、昨日お前が言っていただろ。黒部はもともと手術室に出るという幽霊に怯えていたうえ、先週の事件でかなり動揺していたと。そんな奴に、昨日の怪奇現象を見せれば、かなり強い恐怖を与えることができる」

「いや、そうかもしれませんけど、怖がらせてどうするんですか？」

「さあな。あとは、この二人の口から聞くとしようか」

鷹央が促すと、八巻が重い口を開き、ぼそぼそと聞き取りにくい声で話しはじめた。

「俺と野乃花は、二年前から付き合っているんです」

「……へ？」予想外の告白に、僕の口から呆けた声が漏れる。

八巻と野乃花が？　頭に『美女と野獣』という言葉が浮かぶ。

「もともと、俺たちは中学時代の同級生でした。一昨年の同窓会で会って、それから付き合いはじめました。俺が去年、後期研修で清和総合病院の外科を選んだのも、野乃花がそこで働いているからでした。でも、……あの病院に行くべきじゃありませんでした」八巻の表情が険しくなる。

「黒部先生からひどい仕打ちを受けた……」

僕は八巻に対する黒部の態度を思い出す。

「そうです。でも、俺だけなら我慢できました。けど、あいつは野乃花に……」

歯を食いしばる八巻に代わって、野乃花が陰鬱な声で話しはじめる。

「私はもともと内科病棟に勤務していました。けれど、昔からオペナースになりたかったんです。そして、去年の四月に希望が通って手術部に転属になりました。最初は喜んでいたんですけど、黒部先生に目をつけられて……」

「セクハラを受けたってことか？」

鷹央は腕を組むと、背もたれに体重をかける。野乃花は力なく頷いた。

「最初はいやらしい冗談を言ってくるぐらいでした。けど、私が笑ってごまかしているうちに、エスカレートしてきて……。手術のあと腰を撫でてきたり、宴会でキスしてこようとしたり、一度なんて強引にホテルに連れ込もうとしてきたことも……」

あまりにもひどい内容に、顔が歪んでしまう。コンプライアンスが厳しくなっているこの時代に、そんなことをする男がまだいるとは。

「上司に相談とかはしなかったのか？」鷹央は渋い表情になる。

「もちろん相談しました。師長は正式に抗議をしてくれたんですけど、黒部先生はどこ吹く風で……。コンプライアンス委員会に報告したり、場合によっては訴訟にすることもできるって言われたんですけど、そこまで大きな問題にするのはどうかと……。少し我慢すれば全部丸く収まるかもしれなかったので」

「丸く収まる？　黙っていたら、そういう奴らは増長するだけだろ」

鷹央は苛だたしげにかぶりを振った。黙り込んでしまった野乃花の背中に手を添え、再び八巻が話しはじめる。

「黒部の奴、故郷の病院に勤めないかって誘われているらしいんです」

ああ、そんなこと言っていたな。先日聞かされた自慢話を思い出す。

「去年の秋ぐらいから、ずっとそのことを自慢していました。だから……」

「年度がかわる今年の四月に、清和総合病院を辞めて、その病院に行くかもしれないと思っていたんだな？」

　鷹央のセリフに、八巻は弱々しく頷く。

「そうです。でも、あいつは辞めませんでした。俺は清和総合病院での外科後期研修が終わるまで、あと二年あります。野乃花だって一人前のオペナースになるには、あと何年かは手術部で修業しないといけません。けれどこれ以上、黒部に耐えることはできません」

「そこに先週の事件が起こったってわけだ」鷹央が話の先を促す。

「はい、そうです。もともと黒部は迷信深いというか、怪談が苦手みたいなんです。去年の末、第八手術室の前で麻酔科の辻野《つじの》部長と湯浅先生が怪奇現象を見たっていう騒動が起きたときも、やけに怯えていました」

「湯浅っていうのは、先週死んだ麻酔科医だな。なんで黒部は、そこまで怯えていたんだ？　病院の怪談なんて、よく聞く話だろ」

「怪奇現象の前の月に、交通事故で運ばれてきた少年が、第八手術室で手術中に死亡したんです。そして、その手術を執刀していたのが黒部で、麻酔を担当したのが湯浅先生でした。俺はその手術に第一助手として参加していました」

　その件は、まだ鷹央に伝えていなかった。初耳の鷹央は目を大きくする。

「なんだそれは？　黒部っていう男が医療過誤を起こしたっていうことか？」

「いえ、医療過誤と言えるようなものじゃありません」八巻は首を振る。「救急搬送された時点で、腹腔内出血がひどくて重体でした。脾臓と腎臓が破裂して、そこからの出血を止めようと緊急手術を行ったんですが、救命できませんでした」

「それは仕方がないだろ。腕の良い外科医でも救命するのは難しいはずだ」

「そうなんですが、少年の両親がパニックになって、病院を訴えると言い出したんです。警察への説明や、病院上層部への対応で黒部はかなり精神的に追い詰められていました」

「そのストレスを、八巻君に怒鳴り散らすことで発散していたんです」

野乃花が顔を紅潮させつつ、横から口を挟む。

「それで、結局訴訟になったのか？」鷹央は鼻の頭を掻く。

「いえ、なりませんでした。病院としては間違った対応は取っていないし、搬送された時点で救命困難な状態だったということが証明され、あちら側の弁護士が訴訟は無理だと両親を説得したらしいです」

「まあ、妥当な判断だな。そうやって丸く収まったのに、なんで黒部はその死んだ少年に恨まれているなんて妄想を抱いているんだ？」

小首をかしげる鷹央の前で、八巻は皮肉っぽく唇を歪める。

「コンプレックスですよ。副部長の戸隠《とがくれ》先生に比べて、自分の腕が悪いことに対して、あいつはずっとコンプレックスを抱えているんです」

僕は助手として入った戸隠の手術を思い出す。八巻の言う通り、その実力は黒部より一段上だった。

「黒部は戸隠先生に強烈なライバル心を持っています。あの夜、患者の状態があまりにもひどいのを見て、僕は戸隠先生を呼ぶべきだって主張したんです。戸隠先生は病院の裏に住んでいて、当直じゃなくても呼べばすぐに駆けつけてくれるから。けれど、黒部はその必要はないと言って手術に踏み切りました」

「その判断が間違っていたとは言い切れないだろ。外傷の手術はスピードが重要だ。いくら腕がいいとはいえ院内にいない外科医を待つより、早く手術をはじめたほうが救命できる確率が高いかもしれない」

「ええ、その通りです。戸隠先生を待ったからといって、患者が助かったとは思えません。けど、病院の調査で黒部は何度も、『なぜ戸隠先生を呼ばなかった』と責められました」

「なるほど。そのうちに、自分の判断ミスで患者を死なせてしまったと暗示がかかっていった。そのせいもあって、先週の麻酔科医の事件も、死んだ少年の呪いのように思え、怯えはじめたというわけか」

「はい、そうです。先週の事件でなくなった湯浅先生が、術中死を起こした時に麻酔を担当していたこと。そして、湯浅先生の亡くなり方が普通でなかったこととかも、黒部が本気で怯えた理由だと思います」

八巻の声には疲労が滲んでいた。最初、術中死した少年の呪いなど、馬鹿げていると思った。しかし、いまの説明を聞くと、当事者としては怯えるのも仕方がない気もしてくる。去年の術中死以降、あの第八手術室付近ではあまりにも奇妙なことが続いている。

「そうやって怯える黒部を、お前たちはこれ幸いと下らないトリックを使って脅かした。そうすれば、すぐにでも黒部が病院を辞めるかもしれないと思って。そういうことだな？」

鷹央に揶揄《やゆ》され、八巻と野乃花はうなだれる。鷹央は大きく息を吐いた。

「それで、黒部という男は病院を辞めそうなのか？」

「それは……分かりません……」八巻は弱々しく答える。

「辞めなかったらどうする？　黒部が病院を逃げ出すまで、学芸会まがいの怪奇現象で脅かし続けるつもりか。それでも辞めなかったら、黙って耐え続けるのか？」

二人はなにも言わなかった。鷹央はこれ見よがしに肩をすくめる。

「なんで黒部って奴が、お前らを標的にしたんだと思う？」

「何でって言われても……」野乃花は上目遣いに鷹央を見た。

「簡単だ。お前たちが戦わないからだ。理不尽なことがあっても、『部下だから』とか、『騒ぐと面倒なことになるから』と耐えるからだ。そういう相手には何をしてもいいと勘違いする馬鹿がいる。黒部っていう男はその典型だ。ある意味、お前たちの対応が黒部をそこまで増長させたんだよ」

「私たちが悪いっていうんですか！」野乃花は椅子から腰を浮かす。

「悪い悪くないの問題じゃない。ただ単に、昨日やったみたいな小細工でその場を乗り切ろうとしても、根本は解決しないって言っているんだ」

「じゃあ、どうすればいいんですか⁉　私はもう耐えられないんです！」

野乃花は両手で頭を抱え、悲痛な声を出す。鷹央は立ち上がると、顔を突き出して野乃花の目を覗き込んだ。

「耐えるな」

「え……？」野乃花は押されるように再び椅子に腰掛ける。

「耐えないで、戦うんだ。愛想笑いで誤魔化すな。波風を立てることを恐れるな。相手が嫌なことをしてきたら、はっきりと不愉快であることを伝え、二度とやらないように警告するんだ」

「でも……」野乃花は助けを求めるように、隣に座る八巻を見る。

「恋人に頼ろうとするな。お前自身が戦わない限り、なにも解決しない。相手はお前を攻撃し続ける。奴らは弱い獲物をいたぶり続ける。それを止めるためには、自分が弱くはないということを相手に思い知らせる必要があるんだ」

鷹央はそこで言葉を切ると、八巻を見て「お前もだぞ」と付け加えた。二人は神妙な表情で、鷹央の言葉に耳を傾ける。

「たしかに戦うことには覚悟とエネルギーが必要だろう。だが、それをしない限り、お前たちは本当の意味で解放されることはない。たとえ黒部が消えたとしても、下劣な相手に弄《もてあそ》ばれた記憶は残り続ける。もう一度だけ言うぞ。本当に黒部から解放されたいなら、……戦うんだ！」

鷹央は力強く言うと、椅子に深く腰掛けて足を組んだ。

部屋に沈黙が降りる。八巻と野乃花は口を固く結んだまま、黙り込む。

「本当に……」数十秒後、野乃花が口を開いた。「本当に戦えば、問題が解決するんですか？」

「絶対とは言い切れないが、可能性は高い。その黒部って奴は典型的な『強い者には弱く、弱い者に強い』男だ。無抵抗だった相手から反撃を食えば、きっと驚き怯えるはずだ。少なくとも、このまま耐えて嫌がらせを受け続けるより状況は好転する」

鷹央の回答を聞いて、野乃花の顔にじわじわと決意の表情が広がっていく。

「分かりました！　私、やってみます」

「野乃花⁉」八巻が驚きの声を上げた。

「私、耐えていれば時間が解決してくれると思っていた。でも、いま言われたとおりそれは間違っていたんだと思う。だから……一緒に戦おうよ」

野乃花に促された八巻の顔に逡巡《しゅんじゅん》が浮かぶ。

「大丈夫、もし清和総合病院にいられなくなったら、一緒に違う病院に移ろう。二人なら何とかなるよ」

野乃花は八巻の手に自分の手を重ねる。八巻の表情が柔らかくなった。

「……分かった。やってみるよ」

二人は微笑みながら見つめあった。目の前から漂ってくる甘い空気に、僕は居心地の悪さをおぼえて首筋を掻いた。

「独り身のつらさが身に染みるか？」にやにやした鷹央が耳打ちしてくる。

「……そんなんじゃないです」

あなただって独り身でしょうが。僕は口をへの字にゆがめた。

「小鳥遊先生、おかしなことに巻き込んでしまい、ご迷惑をおかけしました」

ようやく二人の世界から帰ってきた八巻が、深々と頭を下げる。隣に座る野乃花もそれに倣った。

「まあ、……今度から気をつけてくれ」

僕が間の抜けたセリフを吐くと、二人はゆっくりと立ち上がる。その表情は憑《つ》き物が落ちたかのように晴れやかだった。

「いろいろアドバイスいただいて、本当にありがとうございます」

野乃花は張りのある声で礼を口にする。鷹央に頭を下げた二人は、「それじゃあ、失礼します」と部屋を出ようとする。

「おい、こら。ちょっと待て！」

八巻が出入り口の取っ手に手を伸ばしかけたところで、鷹央が声をかける。二人は不思議そうな表情で振り返った。

「なに勝手に結論出して、いちゃつきながら帰ろうとしているんだ。まだ話は終わっていない。本題はこれからだ」

「本題……ですか？」野乃花の顔に不安がよぎった。

「そうだ。昨日お前たちがやったことは報告しないでやる。その代わりに、ちょっと頼みたいことがあるんだ」

鷹央の顔に不敵な笑みが浮かぶ。

「もちろん、引き受けてくれるよな？」

3

扉の脇に置かれた椅子に陣取っている刑事を横目に、僕は引き戸を開く。

「鴻ノ池さーん、回診ですよー」

八巻たちの手によって引き起こされた『透明人間』のトリックを鷹央が解き明かした翌日、土曜日の昼過ぎ、僕は処置用の器具が載っているカートを引きながら鴻ノ池の病室に来ていた。この清和総合病院は土曜日も午前中だけ外来を行っており、第一外科は手術こそないものの、医局員全員が勤務していた。

僕はカートを摑みながら短い廊下を進んで部屋に入る。

「あっ、小鳥先生どうもー。回診ですかぁ」

ベッドで上半身を起こしながら、鴻ノ池が明るい声で言った。

「ああ、状態はどうだ？」

「元気ですよ。食事がはじまったんで点滴も必要なくなりましたし。ただ、まだ重湯に毛が生えたくらいの食事なんで、食べた気になりませんけどね」

「開腹手術をしたんだから当然だろ」

ベッドのわきに近づいた僕は、カートの上に消毒用具を準備していく。

「……小鳥先生、なにやってるんですか？」

「なにって、見たら分かるだろ。消毒の準備だよ」

術後は毎日消毒を行ったうえ、手術跡の経過が順調か確認する必要がある。

「小鳥先生が消毒するの⁉」甲高い声が部屋に響いた。

「それがどうしたんだよ？」

これまでは、外科を回っている研修医や八巻がやってくれていたが、今日は彼らがそれぞれの仕事で忙しいので、僕に役目が回ってきていた。

「チェンジ！」鴻ノ池は胸の前で両腕を交差させる。

「そんなシステムは無い！」

「嫌ですよ。虫垂炎の手術跡ですよ。そんなところを男の人に見せるなんて」

「これまでだって毎日、男が消毒していただろ」

「あの人たちはドクターじゃないですか！」

「僕だってドクターだ！」

「そうですけど、知り合いに見られるのって恥ずかしいんですよ。こういうことにならないように、天医会じゃなくて、この病院に入院したのに……」

「グチグチ言っていないで、さっさと傷を見せろって」

僕が促すと、鴻ノ池はじっとりと湿った視線を投げかけてくる。

「……なんだよ、その目は？」

「小鳥先生、そんなに私の下腹部が見たいんですか？」

「人聞きの悪いこと言うな！」

「まあ、仕方ないですけど、あとで鷹央先生に報告しておきますからね。小鳥先生が私の下腹部を凝視したうえ、まさぐったって」

「人聞きの悪すぎること言うな！」

「冗談ですって。はあ、覚悟を決めるか。ああ、お嫁に行けなくなったらどうしよ」

鴻ノ池は掛け布団《ぶとん》をめくり、入院着に手をかけたところで僕に流し目をくれる。

「『その時は俺がもらってやる』とか、そういう言葉はないんですか？」

「あるか！」

「もう、甲斐性《かいしょう》ないなあ。まあ、小鳥先生は鷹央先生のものだから、言われても困りますけどね」

鴻ノ池は上着をたくし上げ、ズボンを少し下げた。小麦色の引き締まった腹部が露わになる。右の下腹部には白いガーゼが張り付けてあった。

「はい、どうぞ。煮るなり焼くなり好きにしてください」鴻ノ池は目を閉じる。

僕はガーゼを慎重にはがしていく。その下から一筋の手術跡が現れた。

かなりきれいな傷だった。化膿している様子もないし、あまり目立たない。おそらく患者が女性ということで、戸隠が慎重に縫合したのだろう。もうすぐ抜糸もできそうだ。

「うん、綺麗《きれい》だな」

「私の体がですか？」

「傷跡がだ！」

「じゃあ、体に対する感想は？　ウエストには自信あるんです。いまでも、時々ランニングして鍛えているから」鴻ノ池は口角を上げると、薄目を開けた。

「……知らん」

「ほら正直になっちゃいましょうよ。大丈夫です。鷹央先生には黙っていますから」

おどけた口調でまくしたてる鴻ノ池の顔に、僕は視線を送る。

「鴻ノ池……、大丈夫か？」

「……なんのことです？」

「お前さ、無理しているだろ」

鴻ノ池が僕をからかうのはいつものことだ。しかし、今日の態度はどこか人工的で、無味乾燥だった。まるで、おどけることで必死に本心を隠そうとしているかのように。

鴻ノ池の顔から、作り物の笑みが消えていく。

「やだなあ、小鳥先生ってば。もてないくせに変なところで鋭いんだから」

「もてないくせには余計だ。刑事たちになにか言われたのか？」

僕が水を向けると、鴻ノ池は天井を眺めた。

「まあ、いろいろと。主には湯浅先輩との関係と、事件の時のことですね」

「具体的にはどんなことを？」

僕は鴻ノ池の手術跡を酒精綿で拭《ふ》く。鴻ノ池はわずかに身じろぎした。

「なんで別れたのかとか、最近はどんな付き合いだったのかとか。なんか、痴情のもつれから、反射的に私が湯浅先輩に切りつけたことにしたいみたいですね」

「……その湯浅っていう麻酔科医と連絡は取っていたんだよな。具体的にはどんな関係だったんだ？」

「職場も近いんで、ときどき二人で食事したりはしました。けど、それだけ。それ以上の関係はありませんでしたよ」

「本当か？」

「やだなあ、小鳥先生。なんか、浮気を問い詰められているみたい」

「まじめに訊いているんだ。ちゃんと答えてくれ」

使用した消毒綿をビニール袋に捨てながら言うと、鴻ノ池は殊勝な表情で「ごめんなさい」と謝った。

「でも、本当にそれ以上はありません。別れてから何年も経っているし、純粋に友達みたいな関係でした。湯浅先輩はやり直したいみたいなことを半年ぐらい前まで言っていましたけど、私はその気はありませんでした。仲の良い友人関係が、私たちには一番合っている気がしたんです。はっきりそう言ったら、湯浅先輩も納得してくれました。まあ、警察は信じていないみたいですけど」

「付き合っていたと思われているのか？」

「少なくとも、なにか男女のトラブルがあったとは、間違いなく疑っています。より を戻そうとしていた私が湯浅先輩に断られて恨んでいた。だから、全身麻酔から目が覚めた時に思わず、っていうのがあちらの筋書きみたいです」

「出来の悪い昼メロじゃあるまいし、そんなことあるわけないのにな」

僕が鼻で笑うが、鴻ノ池が答えることはなかった。

「……鴻ノ池、どうした？」

「この二、三日、刑事は同じことを言ってくるんです。君は悪くない。君は全身麻酔から醒めたばかりで、意識が混乱していたんだ。そのとき、麻酔科医が顔を覗き込んできた。彼に対して日常的に怒りを覚えていた君は、ほとんど無意識に近くにあった物を摑んで、手を振るった。それが偶然メスで、しかも運悪く麻酔科医の首を切ってしまった。君は彼を殺す気なんかなかったんだ、って」

警察の思い描いているストーリーを聞いて、僕は奥歯を嚙みしめる。いくらなんで

実業之日本社文庫

https://www.j-n.co.jp/

父は『それほどつらくはないから、一晩寝れば治るよ』って、寝室で横になりました。二、三時間後、母が様子を見に行ったときには、……もう呼吸が止まっていました」

「……そうか」

「優しい父でした。搬送された病院のドクターから『すぐに受診していれば助かったかもしれない』って聞いたとき、すごく悔しかったです」

「だから、医者になったのか？」

　鴻ノ池はかすかに頷いた。

「父が死んでから、母は必死に働いて家計を支えました。私も家事はできるだけ手伝っていましたけど、母は『それより、勉強を頑張りなさい』っていつも言ってくれました。あんなに大変なのに、医者になるっていう私の夢を誰よりも応援してくれたんです。だから、もともとあまり成績は良くなかったけど、一生懸命勉強してなんとか医学部に合格して、奨学金を使って医師になることができました。母はそのことをすごく喜んでくれたんです。もちろん、兄弟たちも」

　初めて聞く鴻ノ池の身の上話に、僕は無言のまま耳を傾ける。

「やっと念願だった医者になって、これからは私が家族を支えていけると思いました。そして去年、初めて見た鷹央先生が鮮やかに診断を下していくのを見て、『この人みたいになりたい』って思ったんです。鷹央先生みたいにどんな病気もずばっと診断出来たら、父みたいな人を救うことができるかもしれないって。今年、統括診断部で研修受けるの楽しみにしていました。なのに、こんなことになっちゃって……」

一瞬、言葉を詰まらせた鴻ノ池は、「話が飛んじゃいましたね」と目元を拭《ぬぐ》う。

「そんなわけで、家族にはできるだけ心配かけたくないんです。だから、今回のことは連絡していません。そんな感じなんで、もし自分がやったって認めれば、家族に迷惑が掛からないなら、その方がいいかもって……」

「いいわけないだろ！」僕は反射的に大声を出した。

声量に驚いたのか、鴻ノ池は少し垂れ気味の目を大きく見開く。

「いいか、お前に犯行を認めさせようとしているってことは、警察は確実な証拠を持っていないんだ。逮捕できるような状況にないから、自白させて切り崩そうとしている。もし犯行を認めてみろ。すぐに逮捕されるぞ」

「でも、心神喪失で罪に問われない可能性が高いって……」

「本当に心神喪失が認められるかなんて分からないだろ。そもそも、それで無罪になっても、お前が人を殺したっていうことが事実として認定されるんだぞ。それに逮捕された時点で全国ニュースになって、お前の家族のもとにマスコミが押しかけるはずだ」

犯行を認めた先に起こるであろうことを並べ立てると、鴻ノ池は「そんな……」と絶句し、自らの体を抱きしめるように両手を回す。

「本当に……、本当にそんなことになるんですか？」

「ああ、多分な。あと、逮捕されたらお前は天医会総合病院を解雇される」

誤魔化すことなく、僕は事実を告げた。あまりのショックに思考がついていかないのか、鴻ノ池の目が焦点を失っていく。

こいつ、どうしたんだ？　呆然自失の鴻ノ池を前にして、僕は違和感をおぼえる。

鴻ノ池は頭の回転が早い方だ。それなのに、犯行を認めたあとに何が起こるのか、考えが及んでいなかった。少し考えれば、十分に予測可能なことだというのに。

最初のうちは、事件の衝撃で頭が回っていなかったのだろう。しかし、事件からすでに一週間以上が経っているのに、最初の頃より状態は悪くなっている気がする。

「……鴻ノ池、お前、刑事からなにかショックなこと言われたりしたのか？」

僕が訊ねると、鴻ノ池の表情が炎であぶられた蠟細工のように、ぐにゃりと歪んだ。

僕は自分の予想が正しかったことに気づく。

「なにを言われた？　いったいなにがあったんだ？」

そっと肩に手を置く僕を、鴻ノ池は潤んだ目で見上げた。

「湯浅先輩が……」鴻ノ池の震える唇が開く。「湯浅先輩が私を……殺そうとしたって」

「はぁ⁉　殺そうと⁉」僕は目を剝く。

「はい、警察はそう言っていました。……私の点滴ラインの側管にシリンジが接続されていたんです。首を……切られた湯浅先輩が、最期《さいご》に接続したものらしいです。その中身を投与しようとしたところで、力尽きたと……」

「瀕死《ひんし》の状態で、お前になにか薬を打とうとしていたってことか？」

脳裏に『ダイイングメッセージ』という単語が浮かぶ。

「はい、そうです」鴻ノ池は目を固く閉じる。「筋弛緩剤でした」

喉からうめき声が漏れた。筋弛緩剤。その名の通り、全身の筋肉を強制的に弛緩させ、動かなくさせるための薬剤。気管内チューブによって咳反射が起きることを防いだり、開腹手術の際に腹筋を緩めて切開しやすくしたりするために、全身麻酔の手術では極めて頻繁に使用される。

その効果は強烈で、呼吸のための筋肉さえも完全に麻痺《まひ》させる。そのため、人工呼吸管理されていない者に使用したりすれば、意識はあるものの呼吸できないという恐ろしい状態に陥る。

助けも呼べず、指一本も動かせないまま窒息を待つ。湯浅はそんな残酷な方法で鴻ノ池を殺そうとしていたというのか？　もしそうだとしたら、なぜ？　答えは一つしか思いつかなかった。

復讐《ふくしゅう》。自らの首を切り裂いた相手を、道連れにしようとした。

急激に部屋の温度が下がったような気がする。

「湯浅先輩は私を殺そうとしたんです！　筋弛緩剤を打って、私を窒息させるつもりだったんです」毛布を摑んだ鴻ノ池の手が、ぶるぶると震えだした。

「そうとは限らないだろ。もしかしたら、他の薬を投与するつもりだったのかも……」

「湯浅先輩は、首を切られて倒れていたんですよ。そんな状態で、なんの薬を打とうっていうんですか⁉」

その通りだ。湯浅が倒れたとき、鴻ノ池はすでに麻酔から醒め、自発呼吸もはじまっていた。その状態で必要な薬などないはずだ。

「私に喉を切られた湯浅先輩が、最後の力を振り絞って一矢報いようとしたんじゃないかって警察は言っています。私も……それが正しい気がするんです。そうじゃなきゃ、湯浅先輩は私を殺そうとするはずなんてないから！」

鴻ノ池は頭を抱えると、ベッドの上で丸くなる。残酷な現実から身を守ろうとするかのように。

「……決めつけるなよ」

僕がつぶやくと、鴻ノ池は「えっ？」と真っ赤に充血した目を向けてきた。

「まだそうと決まったわけじゃない。あらゆる可能性を検討し、そして最後に残ったものが真実。鷹央先生がいつも言っている言葉だ」

「鷹央先生が……」

「まだ検討するべき可能性は残っている。だからこそ、僕がスパイの真似事までして情報を集めているんだぞ。それなのに、お前が諦めてどうするんだ」

鴻ノ池は無言のまま目をこすり、ずずっと洟《はな》をすすりあげた。

「必要な情報は集まってきた。もうすぐ、鷹央先生が事件の真相を解き明かしてくれるはずだ」その前に、お前が覚えてもいない犯行を自白して台無しにするなよ。

鴻ノ池はかすれ声で「……はい」と返事をする。僕は唇の片端を上げた。

「うちの科で研修するんだろ？　こき使ってやるから、覚悟しろよ」

鴻ノ池はなにかに耐えるように固く唇を結ぶと、両手で目元を覆った。入院着に包まれた肩が震えはじめる。

「なんだよ、泣いているのか？　お前には似合わないぞ」

「なに格好つけているんですか。小鳥先生のくせに……」鴻ノ池はしゃくりあげる。

「くせにってなんだよ。ほら、これ使えよ」

僕は涙を拭かせようと、ポケットから出したハンカチを差し出す。ひったくるようにハンカチを受け取った鴻ノ池は、大きな音を立てて鼻をかんだ。

「……そのハンカチ、お前にやるよ。それより、ガーゼをかぶせるから、もう一度傷を見せてくれ」

入院着の袖で目元を拭った鴻ノ池は、頷くと再び傷を露出させた。僕はそこに新しいガーゼを置く。

「あの、小鳥先生……。ご迷惑おかけして、すみません」

テープでガーゼを固定する僕に鴻ノ池が言う。横目で見ると、鴻ノ池の目に普段の潑溂とした輝きが戻りつつあった。

「もう大丈夫か？　耐えられそうか？」

鴻ノ池は「はいっ！」と覇気のこもった返事をする。

「少しは調子が戻ってきたな。しおらしい姿もなかなか新鮮だったけど、やっぱり無駄に元気な方が、お前らしくていいぞ」

「ありがとうございます、小鳥先生。お礼に私の下腹部を執拗《しつよう》に見ようとしてきたことは内緒にしておきますね」

鴻ノ池はまだ涙で潤んでいる目でウインクをしてきた。

「……やっぱり、もう少ししおらしくしてくれないか？」

「小鳥遊先生」

鴻ノ池を含む入院患者たちの回診を終え、ナースステーションで電子カルテを打ち込んでいると、背後から声をかけられた。振り向くと、ナース服姿の秋津野乃花が立っていた。

「ああ、秋津さん。あれ、手術部の仕事は?」

「今日は夜勤なんです。あの、昨日はいろいろとご迷惑をおかけしました」

言葉を切った野乃花は、神経質に辺りを見回した。昼過ぎのナースステーションは、昼休憩や下膳などで看護師たちは出払っていて、僕と野乃花以外には誰もいない。

「これ、天久先生にお願いされたものです」

野乃花は声を押し殺すと、ナース服のポケットから小さなUSBメモリーを取り出した。僕は素早くそれを受け取ると、ズボンのポケットにねじ込む。

「ありがとう。もう手に入れてくれたんだ」

昨日、鷹央は『あるもの』を手に入れて欲しいと野乃花に依頼……、というか脅迫していた。

「昨日お話をしたあと、その足で手術部に行ったんです。昨日の夜勤は仲の良い同僚だったんで、見つかったとしてもごまかせると思って。ただ、焦ってコピーしたんで、必要なシーンが全部含まれているか自信がないですけど……」

「いや、十分だよ、本当にありがとう。助かった」

僕はポケット上からUSBメモリーに触れる。この中には、事件を解決するために最も重要な情報が入っている。これで状況は大きく変化するはずだ。

「よかったです。天久先生にどうぞよろしくお伝えください」

野乃花が頭を下げると、その背後から声が聞こえてくる。

「小鳥遊先生……お疲れさま」

野乃花の顔がこわばる。見ると、白衣をだらしなく着崩した黒部が、どこかおぼつかない足取りでナースステーションに入ってきていた。どうやら、午前の外来を終えて病棟に上がってきたようだ。

「病棟の仕事は終わった？　もしよければ一緒に昼飯でもどうかな。『あれ』について、もう一度話したいんだけど……」

黒部は覇気のない声で言いながら近づいてくる。

一昨日の未明に八巻と野乃花の手による怪奇現象を見て以来、黒部は目に見えて怯えていた。今朝も医局で「小鳥遊先生、一昨日のことどう思う？」としつこく訊いてきた。そのときは「きっと、僕たちがなにか見間違えたんですよ」と適当に答え、黒部も「そうだよね」と力なく笑っていたのだが、やはり納得はしていなかったようだ。

「えっ、野乃花ちゃん？」

僕の隣に立つ看護師が野乃花であることに気づいた黒部は目を丸くする。やがて弛緩していた黒部の顔に、下卑た笑みが浮かんできた。

「なんだよ、野乃花ちゃん。今日は夜勤のはずだろ。それなのに外科病棟にいるなんて、もしかして俺に会いに来てくれたのかな?」

黒部の口調が明るくなる。野乃花を見つけたことで、一昨日の事件のことは頭から消えたようだ。しかし、勤務状況までチェックしているとは、かなり入れ込んでいるな。僕は眉間にしわを寄せた。

「いえ、そういうわけでは……」

野乃花は顔を伏せると、蚊の鳴くような声で答えた。

「照れなくてもいいって。実はさ、俺もいま会いたいって思っていたんだよ。あれかな、想《おも》い合っている同士のシンパシーとかいうやつかな」

聞いている方が赤面しそうな恥ずかしいセリフを吐きながら、黒部は野乃花の手に触れる。野乃花が反射的に手を引くと、黒部は途端に顔を歪め、野乃花を睨みつけた。

「なんだよ、俺の手が汚いっていうのか?」

「いえ、そんな……。急に触られてびっくりしただけです……」

うつむいた野乃花を見て、黒部はすぐに相好を崩す。

「ああ、ごめんごめん。そうだよね、急に触れたら驚くよな」

野乃花が愛想笑いを浮かべるのを、僕は苦々しく思いながら眺める。

これが黒部のやり方なのだろう。上の立場であることを利用して脅し、相手が抵抗できなくする。気の弱い者では、これに抵抗するのは困難だろう。いくら昨日、泣き寝入りしないと決心したとはいえ、野乃花はこの一年間幾度となく脅され、心に恐怖を刻み込まれているはずだ。すぐに反撃することは難しいだろう。

「それじゃあ野乃花ちゃん、一緒に昼飯に行こうよ。外来終わって、少しぐらい病院あけても大丈夫だからさ。近くのレストランのランチでもどう？」

僕を昼食に誘ったことなど頭から消え去ったのか、黒部は野乃花の腰に手を回した。露骨なセクハラに、僕の眉間に刻まれたしわがさらに深くなる。

「あの、私は……」野乃花は目を伏せ、華奢《きゃしゃ》な肩を震わせはじめた。

「いいって、遠慮しなくてさ。ちゃんと奢《おご》ってあげるから。ああ、疲れているなら、食事のあと夜勤まで二人きりになれるところで『ご休憩』してもいいよ」

いくら何でもひどすぎる。僕が咎《とが》めようと口を開きかけると同時に、野乃花の腰に回されていた手が力強く摑まれた。

「野乃花……ちゃん？」

黒部は不思議そうに、自分の手首を摑む野乃花を見る。野乃花の顔からはいつの間にか愛想笑いが消え、そこには強い決意が漲《みなぎ》っていた。

「触らないでください！」野乃花の怒声がナースステーション中に響き渡る。

「な、なにを……」

「体を触って欲しくないって言っているんです。気持ちが悪いです！」

野乃花は摑んでいた手を腰から乱暴にはがす。黒部は慌ててその手を引いた。

「な、なんだ、その態度は！　ちょっとしたスキンシップじゃないか！」

しどろもどろになりながらも、黒部は野乃花の鼻先に指を突きつける。しかし、野乃花は虫でも追い払うように、その手をはたいた。

「いえ、スキンシップなんかじゃありません。明らかなセクハラです」

「セクハラ？　言うに事欠いて、俺がセクハラをしただと⁉」

自覚していなかったのか？　あきれる僕の前で、黒部は野乃花を睨む。

「ナースの分際で偉そうなこと言って、覚悟はできているんだろうな！」

野乃花は目を逸《そ》らすことなく、正面から黒部の視線を受け止めた。

「覚悟？　あなたをコンプライアンス委員会に訴える覚悟のことですか？」

「コンプライアンス委員会……」

絶句した黒部に野乃花は一歩詰め寄る。その頰には朱が差していた。

やれ！　頑張れ！　僕は内心、野乃花にエールを送る。

「そんなの意味ないぞ。たかが院内の委員会が、部長の俺に何ができる！」

後ずさった黒部は、声を張り上げる。しかし、目が泳いでおり、はた目にも虚勢を張っているのが明らかだった。

「もし意味がなかったら、あなたと病院を告訴します」

完全に優位に立った野乃花の顔には、不敵な笑みさえ浮かびはじめる。

「告訴？　なに血迷っているんだ。そんなことできるわけがないだろうが」

「いや、できると思いますよ」

僕が横から口を挟むと、黒部は「へ？」と呆けた声を漏らした。

「民事だと、体を触ったりホテルに誘ったりしたら、間違いなくセクハラが認められるはずです。場合によっては強制わいせつで刑事告発できるかも。それで有罪になったりしたら、前科が付いちゃいますね。たぶん、医道審議会で医師免許停止になりますよ」

淡々と事実を述べると、黒部の顔からみるみる血の気が引いていく。僕は「くわばらくわばら」と肩をすくめた。

「黒部先生」

野乃花がその外見には似合わない低い声でつぶやく。黒部は「はい！」と背筋を伸ばした。完全に立場が逆転している。昨夜、鷹央が言った、「弱者には強く、強者には弱い」という評価は正しかったようだ。

「いままでのことは水に流してあげます。けれど、今後は一切許しません。体を触るのはもちろん、仕事で必要なこと以外、私に話しかけないでください」

「……わ、わかった」うなだれる黒部の姿は、叱《しか》られた子供のようだった。

「あっ、そうだ。実は私、八巻先生と交際しているんです」

野乃花が満面の笑みで言うと、黒部は「はぁ？」と気の抜けた声を漏らした。

「私だけでなく、八巻先生に対する態度も改めてください。そうじゃないと、セクハラとパワハラで訴えられて、……大変なことになっちゃいますよ」

小悪魔っぽい表情を浮かべる野乃花に、黒部は震えあがる。

「それじゃあ、小鳥遊先生。私はこれで失礼します」

会釈してくる野乃花に、僕は「お疲れさま」と言いながら、黒部に気づかれないように親指を立てる。野乃花は一瞬舌を覗かせると、ナースステーションをあとにした。

野乃花の背中を見送った僕は笑いをかみ殺しながら、隣で案山子《かかし》のように立ち尽くす黒部の肩を叩いた。

「さて、黒部先生。とりあえず、昼飯にでも行きましょうか」

4

「これでよしっと」

薄暗い部屋に、鷹央の楽しげな声が響く。野乃花からUSBメモリーを受け取った日の午後十時すぎ、僕は鷹央の〝家〟にいた。

「それじゃあ、はじめるぞ」

舌なめずりをする鷹央の前には、三面鏡のようにパソコンのディスプレイが並べられていた。鷹央の指がキーボードをたたく。デスクの下に置かれている鷹央お手製の巨大なパソコンがうなりをあげ、三つのディスプレイに同時に映像が映し出された。僕は鷹央の肩越しに画面を覗き込む。

「手術台は少ししか映っていないのか」

正面のディスプレイを見ながら鷹央が言った。画面には手術室の出入り口付近と、手術台の端が映っている。それは、先週金曜日午後の清和総合病院第八手術室の映像だった。昨日、鷹央が野乃花に要求したもの、それがこの映像だ。

清和総合病院では手術部の監視カメラで録画された映像は、一年間保存することになっている。そしてそれらの映像データの保管場所は、手術部ナースステーションの奥の保管庫だった。事件を解決するために、湯浅という麻酔科医が殺害された際の映像を必要とした鷹央は、野乃花にこの映像を密《ひそ》かにコピーして持ってくるように脅迫……、もとい『お願い』していたのだ。

僕は目だけ動かして、三つのディスプレイを見回す。向かって右側には第五から第八手術室がある廊下の映像が、左側には第七手術室の映像が流れていた。

「もう手術は終わった後みたいだな。外科医がガウンを脱いでいる。一人は昨日ここに来た八巻って奴だな。あと、マスクしているからはっきりしないけど、これは秋津野乃花だな」

鷹央の言った通り、正面のディスプレイには八巻と戸隠と、そして器具を片付けている野乃花が映っていた。

「鴻ノ池の手術では、八巻君が第一助手、秋津さんが器械出しをやっていました。八巻君の隣にいるのが、鴻ノ池を執刀した戸隠先生です」

「そうか。けど、なんで片付けているところからはじまるんだよ。執刀中の映像も確認したかったのに」鷹央は唇を尖らせる。

「仕方ないじゃないですか。保管庫に忍び込んだうえ、必要な映像を見つけだして、コピーしないといけなかったんですよ。これで我慢しましょう」

僕が諭すと、鷹央は渋々頷いた。

映像では、戸隠がフットスイッチで扉を開けて、八巻とともに手術室を出るところだった。画面の右上には時刻が表示されている。それを見て、僕はあることを思いつく。

「この映像をもとに、警察は事件当時、手術室には被害者と鴻ノ池しかいなかったって考えているんでしたよね。けど、映像自体が改竄《かいざん》されていたりはしないですかね。

例えば第八手術室の映像だけ、表示されている時刻がずらしてあって、その時間差を使って犯行後、誰かが駆けつける前に犯人が逃亡したとか」

僕は勢い込んで言うが、鷹央の反応は芳《かんば》しくなかった。

「映像改竄の可能性は低いと思うぞ。警察だって改竄がないかぐらいは調べているだろうし。それに、ほら見ろよ」

鷹央は顔を正面に向けたまま、右側のディスプレイを指さす。

「戸隠って奴がフットスイッチで扉を開けるのと同時に、廊下側から撮った映像でも第八手術室の扉が開いている」

鷹央の言う通り、二つの映像には時間のずれは見られなかった。

「改竄はないとみていいだろうな」

鷹央は画面から目を離すことなく言う。そのまま動画を流していくと数分後、器具の確認を終えた野乃花も、カートを押して手術室から出て行った。野乃花が廊下からフットスイッチに足を入れ、第八手術室の扉が閉じた。

「これで、湯浅っていう麻酔科医と鴻ノ池だけが残されたってわけですか」

「そうとは言い切れないだろ」鷹央は画面を凝視する。「この映像には、手術室の入り口付近しか映されていない。おかしな男がうろうろしている隣の部屋の画像とは大違いだ」

鷹央はやはり正面を向いたまま、第七手術室のカメラ映像が流れている左側のディスプレイを指さした。どうやら、鷹央は三つのディスプレイの映像を同時に見ているらしい。どんな脳みそをしていれば、そんなことが可能なのだか。

鷹央の言う通り、第七手術室の映像では手術台を中心に、手術室全体が映し出されていた。部屋の隅にわずかな死角はあるだろうが、部屋の大部分がカメラにとらえられている。その部屋の中をうろうろと黒部が徘徊《はいかい》している。

「で、この太った男は誰なんだ？　餌《えさ》を探す豚みたいにうろうろしているけど」

「豚って……。この人が黒部部長ですよ。自分で手術記録を書くときは、この人は決まって、片付けが終わった手術室にこもって書くんです」

「ああ、秋津野乃花にセクハラしていたって奴か」鷹央は首筋を掻いた。

「鷹央先生は、この時点で第八手術室に、被害者と鴻ノ池以外の人物がいたと思っているんですか？」

もしそうだとしたら、最後に部屋を出た野乃花が気づいているはずだ。警察にもそう伝えているだろう。それとも、野乃花が部屋を出たあと、何らかの方法で部屋に侵入した人物がいたのだろうか？

「そんなの分からんよ。ただ、部屋全体が見えているわけじゃないんだから、二人以外に誰もいなかったとは言い切れないってだけだ」

鷹央は振り向くことなく、肩の上でひらひらと手を振った。

「それより、これから事件が起こるはずだ。黙って画面に集中しろ」

たしかにその通りだ。僕は身を乗り出してディスプレイを凝視する。いまだに、被害者である湯浅春哉の姿は見えなかった。おそらく手術台の頭側で、鴻ノ池を麻酔から覚醒させているのだろう。いま確認できるのは、手術台の上の毛布を掛けられた足だけだった。やがて、毛布の下で足がもぞもぞと動き出した。

「患者を覚醒させるときって、執刀医とか看護師が付くもんじゃね？」

鷹央が独りごちるようにつぶやく。

「清和総合病院ではそうとは限らないんですよ。人手が足りないんで、覚醒は麻酔科医に任せて外科医と看護師は他の仕事をやっていることが多いんです」

僕の回答に、「ふーん」と興味なさげにつぶやいた鷹央が、いきなり身を乗り出した。僕も目を見開く。画面の端に一瞬、男が映り込んだ。麻酔科医用の青いユニフォームを着こんだ細身の男。この人物こそ、湯浅春哉に違いない。

湯浅は四肢を振り回すと、すぐ画面外に消える。数秒後、誰かに突き飛ばされたかのように勢いよく、再び姿を現した。体を反らした湯浅は、手袋をはめた両手を自分の喉元に置く。まるで『見えない何か』に首を絞められ、必死に引き剝がそうとしているかのように。その顔は真っ赤に紅潮していた。

苦悶《くもん》に顔を歪めた湯浅は、『何か』と取っ組み合うように体を回転させながら、画面の外に消えていった。数瞬後、湯浅の消えていった方向から、注射器や鉗子《かんし》、薬剤のシリンジなどの器具が飛んできて、床にまき散らされる。

「いったい何が……」

僕がつぶやいた瞬間、画面の外から赤い飛沫が床に飛び散った。その量と勢いに僕は息を吞む。明らかに太い動脈、おそらくは頸動脈からの出血だ。

僕の予想を裏付けるように、両手で押さえた喉元から血を迸《ほとばし》らせた湯浅がふらふらと力なく揺れながら画面内へと映り込み、そして崩れ落ちた。倒れた湯浅の体の下に、血だまりが広がっていく。弱々しく顔を上げた湯浅は、床に落ちているシリンジの一つに震える右手を伸ばすと、それを摑み、目の前に垂れる点滴チューブの側管に接続した。しかし、シリンジの中身を点滴ラインに押し込む前に、湯浅は顔面から血だまりの中に倒れ込み、細かく痙攣しだした。

画像が引かれ、手術室全体が映し出される。しかし、ベッドに横たわる鴻ノ池の他、室内に人影はなかった。僕は息をすることも忘れ、画面を見つめ続ける。

やがて湯浅の痙攣が収まっていく。右側のディスプレイを見ると、廊下を走る戸隠の姿が映し出された。少し遅れて八巻と麻酔科の水無月《みなづき》、そして辻野があとを追っている。戸隠はフットスイッチで扉を開く。その瞬間、三つの画面に流れていた画像が停止した。

「あーっ⁉」鷹央は声を上げて椅子から腰を浮かすと、せわしなくマウスをクリックしていく。しかし、画面が動き出すことはなかった。

「なんだよ、ここで映像が途切れているじゃないか！」鷹央は地団太を踏む。

「たぶん、事件が起こったときの映像が欲しいって言ったから、ここまででいいと思ったんじゃないですか。仕方がないですよ」

「仕方がないですむか。手術室に駆けつけた奴らがどんな行動を取ったのかも重要なんだ。これだけじゃ、情報が絶対的に不足しているんだよ！」

勢いよく再び椅子に腰掛けた鷹央は、首を思い切り反らすと、背後に立つ僕を睨みつけた。

「分かりました。明日にでも秋津さんに会って、事件前後の映像も合わせてもう一度コピーしてもらうように頼みますよ。それでいいでしょ」

鷹央は頰を膨らませたまま、「分かった。それでいい」と首を戻した。

「で、なにか分かりましたか？」

「あ？　何がだ」デスクに頰杖をついた鷹央は、つまらなそうに答える。

「いまの映像を見て、気が付いたこととかありましたか？　なにか、鴻ノ池の疑いを晴らすような。たしかに尻切れトンボの感はありますけど、事件が起こった時の映像は見ることができたでしょ」

僕が水を向けると、鷹央の表情が引き締まった。

「まず、秋津野乃花が出て行ってから被害者が死ぬまで、事件が起きた第八手術室の扉は一度も開くことがなかった。それは映像から確かだ」

「つまり……密室ってことですね」

「手術室には扉以外の出入り口はないな?」鷹央はあごに片手を添える。

「僕の知る限りではありませんね」

「そうなると、たしかに『密室殺人』に見えるな。誰も出入りできない部屋で、一人の男が首を切られて死んでいた。その部屋にいたのは被害者と……」

「麻酔から醒めたばかりの鴻ノ池だけ」

僕が言葉を引き継ぐと、鷹央の表情が硬くなった。

「そうだ。二人しかいないはずの部屋で、そのうちの一人が殺害された。生き残ったもう一人が犯人。警察がそう思うのも当然だ」

「でも、鴻ノ池は全身麻酔から醒めたばかりだったんですよ。そんな状態で若い男の首を切って致命傷を与えるなんて、できるわけがありません」

「……いや、そうとは限らないぞ」鷹央は僕を横目で見る。「お前も元外科医なら、メスの切れ味を知っているだろ。あれは極限まで切れ味を追求した刃物だ。非力な者でも、隙さえつければ容易に相手の頸動脈を切り裂くことが可能だ」

「鴻ノ池が犯人だって言うんですか⁉」声が裏返る。

「興奮するなよ。私だって舞がやったとは思っていない。ただ、感情で舞が犯人の可能性を除外するわけにはいかないって言っているんだ」

たしかにその通りなのだが、鴻ノ池が昔の恋人の首を切り裂いたかもしれないと言われると、どうしても拒否反応が出てしまう。

僕にとっては天敵のような奴だが、あいつはいつも患者のために一生懸命、笑顔を絶やすことなく病棟を走り回っていた。病院という、ともすれば暗い雰囲気が充満しがちな空間で、あいつの陽性の性格は病人たちを元気づけていたはずだ。そんな鴻ノ池が人を殺すなんて……。

「次に検討すべきは、舞が犯人でない場合だ。そこで真っ先に思いつくのが……自殺だ」

「自殺ですか？」唇を噛んでうつむいていた僕は顔を上げる。

「なに意外そうな声を出しているんだよ。部屋に二人しかいない状況で、舞が犯人でないとしたら、自殺の可能性を検討するのは当然だろ」

「けど、いくら何でもあんなタイミングで自殺をしますか？　患者を麻酔から醒ましている最中ですよ。しかも、メスで自分の頸動脈を切り裂くなんて」

「そのあたりは、発作的にということで強引に説明をつけられないことはない。しかしそれだと、致命傷を受ける前に被害者が暴れていたことが説明つかない。あれはたしかに……、『見えない何か』に襲われていたようだった」

鷹央は中央のディスプレイを睨みつけた。

「鴻ノ池犯人説でも、あの被害者の行動に説明がつきませんよ。だって、事件が起こったとき、鴻ノ池は手術台の上にいたんですよ。足が映っているから間違いないです」

僕が勢い込んで言うと、鷹央は大きく頷いた。

「たしかにそうだ。被害者はなぜ暴れていたのか、なにと争っていたのかは分からないが、自殺でも舞が犯人でもなく、他の者の犯行だと仮定してみよう。そうすると、いま見た映像から色々なことが分かる」

「もしかして、犯人の目星がついていたりします？」

前のめりに突き出した僕の顔を、鷹央は手で押し返す。

「焦《あせ》るなよ。まだ犯人を特定できるような段階じゃない。ただ、舞以外に犯人がいるとしたら、どんなケースがあるか分類するだけだ」

「分類って、そんなに色々なケースが考えられるんですか？」

僕が首をひねると、鷹央は左手の人差し指を立てた。

「ああ。まず犯人が密室内にいた場合と、いなかった場合だ」

「密室内にいない？」

「つまり、犯行現場にいることなく、遠隔操作で殺人を行うケースだな」

「遠隔操作で被害者の首を切ったっていうんですか？」

「今回のケースがそうだと言っているわけじゃない。ただ、その可能性も検討する必要がある。その場合、まず怪しいのはこいつだな」

鷹央は左側に置かれたディスプレイを指さす。そこには第七手術室の隅で手術記録を書いている黒部の姿があった。

「ちょうど被害者に異常が生じたとき、黒部は映像に映っていなかった」

鷹央の言葉を聞いて、僕は目を見張る。湯浅に異常が起きてからずっと中央のディスプレイに集中していたので、まったく気づかなかった。

「その時、黒部は第七手術室にはいなかったっていうことですか？」

僕が早口で訊ねると、鷹央は首を振った。

「いや、事件前後で第七手術室の出入り口の扉は開いていない。他に出口がないなら、黒部は第七手術室にいたはずだ。カメラには映らない死角にいたんだろう。もちろん単なる偶然かもしれないが、そうじゃない可能性もある」

「カメラに映らない位置に移動して、隣の部屋にいる被害者を襲ったっていうことですか。でも、どうやって壁の向こう側にいる男の首を切るんです？」

「慌てるなって。現場も見ていないんだから、まだ分からない。ただ、そうやって部屋の外から何らかの方法で犯行に及んだのかもしれないっていうだけだ」

鷹央は左側の画面をさしていた指を、正面の画面に移動させる。

「次に犯人が密室内に、つまり第八手術室にいた場合だ。映像が引かれるまで手術室の大部分が映っていなかった。そこで犯行に及び、画像が引かれてからは監視カメラの死角に潜んでいたとしてもおかしくはない」

「でも、異常に気づいて駆けつけた四人のドクターが証言しているはずですよ、駆けつけたとき部屋には鴻ノ池と被害者以外に誰もいなかったって」

「そいつらの証言は信じられるのか？」

低い声でつぶやいた鷹央の言葉の意味を理解し、僕は口元に力を込める。

「四人が、犯人をかばっているかもしれないっていうことですか？」

「その四人だけじゃない。あとは秋津野乃花もだ」

「秋津さんも……」

「事件前、最後に手術室を出た秋津、そして事件後、最初に手術室に入った戸隠と、それに続いた八巻たちの四人。その計五人の証言によって、事件当時部屋には被害者と舞しかいなかったとされているはずだ。五人が口裏を合わせれば、手術中から手術室に他の人物がいたとしても、それを隠すことができなくはない」

「でも、いくら何でも殺人犯をかばうなんて。しかも五人とも……」

僕が呆然とつぶやくと、鷹央は肩をすくめた。

「もちろん、その可能性は極めて低い。そもそも、警察の方で事件前の映像を徹底的に洗って、事件当時手術室に他の人間がいなかったか確認しているだろうしな。この仮説は否定していいと思う」

僕は小さく安堵の息を吐く。まだ一週間ほどとはいえ、一緒に働いている人々が結託して事件を起こしたなどとは思いたくなかった。

「そうすると、残るケースは二つだ。一つは、医師たちが駆けつけたとき、すでに犯人が部屋の外に逃げ出していた」

「逃げ出していた？　出入り口の扉はずっと閉まっていたのに？」

「ああ、そうだ。実は事件現場が密室ではなかったというケースだな。映像には映っていない位置に秘密の出入り口があって、犯人はそこから入って犯行に及び、そして医師たちが駆けつける前にそこから脱出した」

「でも、あの手術室は事件後に、鑑識が徹底的に調べたはずです。もしそんな抜け穴みたいなものがあったら、気づくんじゃないですか？」

「鑑識にも気づかれないほど巧妙に隠されているのかもしれない。そして、もし手術室が本当の密室だったとしたら、残された可能性は一つだ。外科医たちが駆けつけたとき、犯人はまだ室内にいたんだ」

「室内にいた？」

「そう、室内にいたが隠れていて、医師たちには気づかれなかった」

「麻酔器の後ろとかに隠れていたってことですか？　でも部屋が密室なら、そもそも部屋に犯人が入れないじゃないですか？　秋津さんが部屋を出てから、出入り口はずっと閉まっていたんだから」

「あの手術室に、誰にも気づかれず、ずっと身をひそめられる場所があったとしたら？」

「鴻ノ池の手術がはじまる前から、犯人がひそんでいたってことですか？　それもおかしいですよ。さっき自分で言っていたでしょ。警察は事件前の人の出入りを、映像でチェックしているはずだって。手術前に誰かが第八手術室に侵入していたら、分かるはずです」

僕がはっきりと言うと、鷹央は皮肉っぽく桜色の唇の端を上げた。

「そうとは限らないぞ。秋津野乃花が言っていただろ。手術部のカメラは午前七時から、午後十時まで撮影していると」

鷹央が何を言いたいかに気づき、僕は甲高い声を上げる。

「もしかして、午前七時より前に……？」

「そうだ。まだカメラが起動する前に第八手術室に入り込み、隠れ場所に身を潜めていた。そして、湯浅と舞だけが部屋に取り残されたのを見て、犯行におよび、そしてまた隠れ場所に戻ったんだ」

「事件があったのは午後三時前後ですよ。何時間もずっと隠れていたってことですか？」

「もしかしたら、隠れていたのは事件の日だけじゃなかったのかもしれないな。何日も同じことをして、絶好の機会をひたすら待ったのかも」

淡々とした鷹央の説明に背筋が寒くなる。来るかどうか分からないチャンスを待って、何日も隠れ場所で息を殺している。そんなことがあり得るのだろうか？　もし、それが本当だとしたら、どれほどの執念を持っていたというのだろう。

そこまで考えたところで、僕はあることに気づく。

「いや、いまの説はおかしいですよ」

「ほう、どこがだ？　言ってみろよ」鷹央は楽しげに流し目をくれる。

「そんな隠れ場所があったとしてもですよ、さっきも言ったように事件後、鑑識が部屋を徹底的に調べているんですよ。まず見つかるはずです。もし万が一、見つからなかったとしても、第八手術室は事件現場として二、三日、警察によって封鎖されました。その間、ずっと隠れ場所に潜んでいるのはさすがに不可能ですよ。体力が持つわけない」

「なるほど、一理あるな。けどな……」鷹央は得意顔になる。「ずっと隠れている必要なんてないんだよ」

「隠れている必要がない？」

「被害者が発見されて、現場はどうなったと思う？　お前がもし院内で、首を切られて血まみれで倒れている男を見たらどうする？」

「どうするって、まず状況を確認して……」

頭の中でシミュレートをはじめた僕は、はっと顔を上げる。

「スタットコールを要請します！」

スタットコール、院内で急変患者が出て医師の手が必要な際のSOSサイン。それが院内放送で流れれば、近くにいる医師たちが一斉に現場に殺到する。

「そうだ。そんな状態の患者に救命処置を施すためには、大量の人員が必要だ。当然、スタットコールで、近くにいるドクターを招集することになる。清和総合病院ぐらいの規模の病院なら、おそらく二、三十人のドクターが駆けつけたはずだ。それだけの人数が手術室に詰めかけ、しかも全員の意識は倒れている被害者に集中している」

「その混乱に乗じて隠れ場所から出てきて、ドクターたちの中に紛れ込んだ」

僕がつぶやくと、鷹央は「そういうことだ」と頷いた。

「でも、本当にそんなことが起こったんですか？　本当にあの手術室に、警察でも見つけられないような隠れ場所が？」

僕が早口でまくしたてると、鷹央はぱたぱたと手首から先を振った。

「先走るなって。何度も言っているだろ、あくまでいまは仮説をリストアップしているだけだって。それに、いままでの仮説は『密室殺人』に対する仮説だ。被害者が『見えない何か』と争っていたことについては、まだなにも分かっていない。もちろん、本当に『透明人間』がいたという可能性だって、私は完全には除外していないぞ」

鷹央はにやりと笑う。「そんな馬鹿な」と思いはしたが、僕は口に出さなかった。常識にはあり得ないことも含め、ありとあらゆる可能性を検討して、その中から真実を探し出す。それが鷹央のやり方だということを、僕は九ヶ月の付き合いで理解していた。

「さて、ここから先は、推理のための材料がもっと必要になる」

鷹央はマウスを操作してパソコンの電源を落とすと、腕を組んで考え込む。僕は邪魔にならないよう口をつぐんだ。

数十秒後、鷹央の顔にいたずらを思いついた少年のような笑みが広がっていく。鷹央は座っている椅子ごと僕に向き直ると、歌うように言った。

「小鳥、ちょっと肝試しにいこうぜ」

5

「鷹央先生、やばいですって。これはさすがにやばいです」

リノリウム製の壁に向かっている鷹央の背中に、僕は押し殺した声をかける。

「うるさいな。集中できないから、ちょっと黙ってろ」

「黙ってろって……。早く帰りましょうよ」

僕が周囲を見回しながら言うと、手術着の上にぶかぶかの白衣という、いつも通りの格好の鷹央は、小馬鹿にするように鼻を鳴らした。

「なんだよ、肝の小さな奴だな。そんなに怪談が怖いのか?」

「怪談が怖いんじゃありません! 不法侵入が見つかることが怖いんです!」

野乃花から受け取った映像を見終わった僕は、鷹央に強引に引っ張られて『肝試し』にやってきていた。深夜の清和総合病院手術部に。

「いまから事件現場を見に行こう」と言い出した鷹央を、僕は必死に説得した。僕はまだしも、職員でもない鷹央を手術部に入れていいわけがない。もし見つかったりしたら大問題になる。しかし、いかに説得を試みようが、『謎』を前にして暴走気味の鷹央を止められるわけもなかった。

「事件解決のためには、現場を見る必要があるんだ」「舞を助けるためだぞ」などとまくしたてられ、ついには「お前は来なくていいから、IDカードだけ渡せ。私ひとりで行く」と言い出した時点で僕は折れた。鷹央を一人で潜入させたりしたらどんなトラブルを起こすか、想像しただけで恐ろしかった。

そうして三十分ほど前に、僕は誰かに見つからないか怯えつつ、鷹央を引き連れて清和総合病院の手術部に侵入したのだった。

すでに蛍光灯は消され、誘導灯の薄緑色の明かりだけが手術部を照らしている。潜入した時点で、時刻は午前零時を回っていた。夜勤のナースや当直麻酔科医も控室にいるのだろう、手術部に人の気配は無かった。

手術部用のスリッパに履き替え、薄暗い廊下を我が物顔で闊歩《かっぽ》していく鷹央のあとを、僕は「足音たてないで！」と小声で注意しながら腰をかがめて進み、事件現場である第八手術室にまで移動したのだった。

出入り口は閉じられ、扉に取り付けられた小さな窓から差し込む誘導灯の明かりが届くだけなので、室内は自分の足元すらはっきり見えないほどに暗い。そんな中を、常人よりはるかに夜目の利く鷹央は、せわしなく調べまわっていた。

手術台や麻酔器を執拗に触ったり、壁に取り付けられている手術器具用の棚に顔を突っ込んだり、挙句の果てには打腱槌《だけんつい》(腱反射の検査に使う、小型のゴム製ハンマー)で床や壁をまんべんなく叩いて、音を聞いたりしている。

マーキング場所を探している犬のように、四つん這いになって床に顔を近づけている鷹央を眺めながら、僕はため息をつく。どれだけ調べれば満足してくれるのだろうか。

「なにか見つかりましたか?」

僕が訊ねると、鷹央はようやく立ち上がった。

「いや、反響音で壁とか床の奥に空間がないか調べて回ったんだけど、特に異常はないな。隠し通路や隠し部屋みたいなものはなさそうだ」

「やっぱりそんなものないんですよ。これで満足しましたか? そろそろ帰りましょう」

「いや、まだ不十分だ。あそこを調べたい」

鷹央は向かって左側の壁の、天井付近を指さす。そこが三十センチ四方ほどの大きさで格子状になっているのが、闇に慣れてきた僕の目に映った。

「あれ、なんですか?」

「おそらく空調の給気口だな。手術室内は空間に漂う菌を可能な限り少なくするために、特別な空調システムを使用している。フィルターにより菌を排除した空気を、あそこから流し込んでいるんだ」

　鷹央は説明すると、僕が羽織っている白衣の裾を摑む。見つかった際、白衣を着ていればまだ言い訳の余地があるかもしれないということで、ロッカーから急いで取り出してきたものだった。

「なんですか？」僕は給気口の下まで引っ張られていく。

「肩車」

「はぁ？」

「だから、給気口を確認したいから肩車しろって言っているんだよ」

「いや、肩車ってそんな、……冗談ですよね？」

　僕が媚《こ》びるように笑みを浮かべると、鷹央は唐突に背伸びをして、僕の耳たぶを摑んで引っ張った。

「痛い、ちょっとマジで痛いですって」僕は慌ててしゃがみこむ。

「ぐだぐだ言っていないで、さっさとしろ。早く調査を終えたいんだろ」

　こうなったら鷹央は絶対に引かない。僕は諦めると、壁を向く。

「分かりましたよ。さっさとやってください」

「最初からそうすればいいんだよ」

　鷹央は上機嫌に言うと、ぎこちない動きで僕の肩に跨《また》がった。

なんで僕は、深夜の手術室で上司を肩車しているのだろう？　もはや何度目か分からなくなったため息をつくと、僕は首の横にある鷹央の足を両手で摑んだ。その華奢な感触に、少し驚いてしまう。

「わっ、なに足を触っているんだよ、このスケベ」

「人聞きの悪いこと言わないでください！　こうしないと固定できないでしょ。嫌ですよ、落ちて怪我《けが》とかされたら」

「本当にこうするもんなのか？　どさくさに紛れて私の体に触ろうとしてないか？」

「安心してくださいよ。鷹央先生にそんな下心は絶対に持ちませんから」

「……どういう意味だよ、それ？」

鷹央の声が低くなる。僕は「それじゃあ、行きますよ」と誤魔化すと、両足に力を込める。想像より鷹央の体は軽く、容易に立ち上がることができた。

「うわ、うわああっ！　高い⁉」頭上から焦り声が降ってくる。

「ああ、鷹央先生落ち着いて。しっかり体を支えてください」

声をかけた瞬間、頭皮に激しい痛みが走った。

「ちょ、ちょっと！　髪を摑まないで！　放してください！」

「じゃあ、どこを摑めっていうんだよ！　落ちるだろ！」

ヒステリックに答えると、鷹央はさらに強く髪を引っ張った。

「摑むんじゃなくて額に両手を回してください！」

僕が叫ぶと、鷹央はようやく髪を放してくれた。小さな手が額に添えられる。何とかバランスをとることができたようだ。

「大丈夫ですか？」

「大丈夫に決まっているだろ！」

頭上からかすれ声が降ってくる。よほど怖かったらしい。

僕は鷹央が給気口を覗き込みやすいように少し横に移動する。「わっ、急に動くな」という声とともに、鷹央の手に力がこめられる。

「移動しないと、給気口が見えないでしょ。どうです、覗けますか？」

「ああ、なんとか見えそうだ。そのまま動くなよ」

鷹央は肩の上で身じろぎをする。給気口を観察しはじめる。

「普通の給気口だな。格子状になっている鉄製の蓋《ふた》がかぶせられていて、その奥にダクトが見える」

「そのダクトって、人が入ったり、通り抜けられる大きさですか？」

「難しいだろうな。直径は三十センチぐらいしかない。私でも無理だ」

かなり小柄な鷹央に無理なら、ほとんどの人間には不可能だろう。

「そもそも、外側からネジでしっかり固定されている。これを外して中に侵入しても、外から蓋を固定できないな」

「給気口は事件に関係ないってことですね。もう降ろしてもいいですか?」

「ちょっと待て」鷹央の声が僕を制する。「気になることがあるんだ」

鷹央は僕の額から両手を離す。どうやら、両手で給気口の蓋を摑み、中を覗き込んでいるらしい。頼むから落ちたりしないでくれよ。はらはらしながら、僕は「どうしたんですか?」と訊ねる。

「やっぱりそうだ。この給気口、隣の部屋と繫がっている」

「隣の部屋って、第七手術室ってことですか?」

「そうだ。途中まで一本のダクトが延び、ここと隣の部屋の間でT字状に分かれて、二つの部屋に空気を供給しているんだろう」

鷹央ははしゃいだ声で言うと、「降ろしていいぞ」と指示する。僕は足を曲げ、肩の位置を下げた。僕の肩から飛び降りた鷹央は、若草色の手術着に包まれた胸を張る。

「よし、それじゃあ行くぞ」

「やっと帰るんですね」

安堵の息を吐く僕を、鷹央は不思議そうに眺めた。

「なに言っているんだ?　隣の部屋を調べるに決まっているだろ」

「隣の部屋?　なんでそんなことを?」

「給気口を通じて、この部屋は第七手術室と繋がっていた。もしかしたら、犯人はそれを利用したかもしれないだろ。ほれ、さっさと行くぞ」

鷹央は足をくじいた小鹿《こじか》のような動きで（たぶんスキップしているのだろう）出入り口に近づくと、フットスイッチで扉を開けて出て行く。僕はもう一度ため息をつくと、枷《かせ》を嵌められたかのように重い足取りでその後を追った。

「まだ調べるんですか？」

第七手術室に入り再び調べはじめた鷹央に、僕は声をかける。もう手術部に侵入してから一時間近く経っている。そろそろ、警備員が見回りに来てもおかしくない頃だ。

「当り前だろ。事件が起こった時間、黒部の姿はカメラから消えていた。ということは、黒部はこの辺りにいた可能性が高い。カメラの死角になっているのはこの付近だからな」

鷹央は第八手術室側の部屋の奥、給気口の下の壁に触れながら言った。

出入り口の扉に取り付けられた小窓から、僕は廊下の様子をうかがう。幸い、警備員の姿は見当たらなかった。安堵した僕は、ふとあることに気づく。

「そういえば鷹央先生、筋弛緩剤についてはどう考えているんですか？」

被害者の湯浅は命を落とす寸前、最後の力を振り絞って点滴ラインの側管にシリンジを接続させた。その中身が筋弛緩剤だったという情報は、鷹央にも伝えてある。しかし、鷹央はコツコツと打腱槌で壁を叩くだけで、答えなかった。

集中していて、質問が聞こえなかったのだろうか？　僕は首をひねる。なんとなく鷹央の反応がおかしい気がした。

いつもなら、シリンジを接続した湯浅が、その中身を投与する前に力尽きた映像を見ると同時に、頼まれなくてもそれについての見解を述べているはずだ。それなのに、鷹央はいまだに筋弛緩剤について言及していない。

筋弛緩剤……か。鷹央を眺めながら、湯浅が最期に取った行動の意味を考えていた僕は息を呑んだ。

「鷹央先生！」思わず大きな声が漏れる。

「なんだよ、急に？」打腱槌を振りかぶっていた鷹央の体が震える。

「筋弛緩剤です！」興奮でどうしても声量が上がってしまう。

「ああ？　何言っているんだ？」鷹央はいぶかしげに目を細めた。

「だから、筋弛緩剤ですよ。被害者が死ぬ前に、筋弛緩剤の入ったシリンジを点滴ラインに接続したでしょ。その意味が分かったんです」

鷹央は無言のまま、視線で先を促す。

「ベクロニウム。この病院で使用している筋弛緩剤はベクロニウムなんです！」

「まあ、ベクロニウムを採用している病院は多いからな。うちの病院でもそうだ。で、それがどうかした？」鷹央はそっけなく言う。

　ここまで言っても分からないのだろうか？　あの鷹央が？　やはり何かおかしい。

僕は強い違和感をおぼえながらも、口を開く。

「だから、ベクロニウムですよ。『ベクロ』の文字を入れ替えれば『黒部』です。きっと被害者は、『犯人は黒部だ』って伝えるために、最期の力を振り絞ってまで、ベクロニウムの入っているシリンジを点滴ラインに接続したんです」

　僕はそこで言葉を切ると、息を吸い込む。

「つまり、あの行動はダイイングメッセージだったんですよ！」

　鷹央は無言で僕を見つめる。しかし、その目には驚きや賞賛の色はなかった。

冷めた視線を浴びて、軽く反り返っていた僕の背中は丸まっていく。

「あの……、いまの説についてのご意見は……」

「ダイイングメッセージねえ……」鷹央はつまらなそうに言う。「お前、本気でそんなこと言っているのか？」

「えっとですね……」膨れ上がっていた自信が、一気に萎《しぼ》んでいく。

「黒部が犯人だと告発するために、ベクロニウムの入ったシリンジを側管に接続する？　なんでわざわざそんなことをする必要があるんだ。それなら、床にでも名前を書けばいいだろ。血が大量にあるんだから、その方が簡単だ」

「それは……、そんな直接的な方法だと、犯人に気づかれて消されるかもしれないと思ったから……」

僕はこれまで読んだ推理小説で、頻繁に語られてきたロジックを口にした。

「そう思ったとき、目の前にベクロニウムの入ったシリンジがあるのに気づき、すぐに『ベクロ』から『黒部』を示すことができるとひらめいたってわけか。ベクロニウムと黒部、少し強引すぎないか？」

「た、たしかに強引かもしれません。けど、瀕死の状態だった被害者には、深く考える余裕がなかったんですよ」

「普通に名前を書いたら、犯人に消されると気づくぐらいには、そして目の前に落ちているシリンジの中身がベクロニウムで、それによって『黒部が犯人だ』と示せるかもと思うほどには余裕がある。しかし、それが無理やりすぎるとは思わないほどには余裕がないってわけか」

「いや、無理筋なのは認めますけど、絶対にないとは言い切れないでしょ」

必死に自説にしがみつく僕を、鷹央はまっすぐに見つめる。

「なあ、小鳥。お前いままで、何人の人間を看取《みと》ってきた？」

「え？　なんですか突然？」

「いいから。お前が死に際に立ち会った患者は、これまで何人ぐらいいる？」

鷹央は平板な声で質問を繰り返す。

「たぶん……、千人は超えていると思います」

「お前は救急業務もかなりこなしている。その千人の中には、事故などで予想外の死を迎えた者も多かったはずだ。そんな患者を看取ってきた経験を踏まえてもう一度考えてみろ。突然、首を切りつけられ瀕死の状態の人間が、ベクロニウムで黒部が犯人だと示せると思いつく余裕があると思うか？　いやそれ以前に、自分が絶命したあとのことを考えて、犯人が誰か示そうとすると思うか？」

鷹央の問いに、僕は言葉に詰まる。

十数秒、これまでの経験を反芻したあと、僕はゆっくりと顔を左右に振った。

「いえ、思いません……」

予想外の死に瀕した人間の行動原理はほぼ決まっている。突然目の前に現れた死神から必死に逃れようとするのだ。そのとき人間は、動物的な生存本能に体を、そして心までも完全に支配される。

その生存本能に打ち勝ってまで、犯人の名を伝えようとする者など、いるわけがない。自らの死後のことまで考える余裕などないのだ。

自らの命が尽きた後、犯人を明らかにするため手がかりを遺す。そんなこと、現実にはあり得ない。医師としての経験が僕にそう判断させた。例外があるとすれば、どこかに閉じ込められて時間をかけて死んでいくなど、時間的な余裕がある場合ぐらいだろう。

僕は口元に手を置きながら考える。突然、死の危機に瀕した人間が、生存本能の命令以外の行動を取れるとしたら、それは自らの死後のための行動ではなく、その瞬間の衝動に身を任せたときぐらいだろう。

自分を襲った者に反撃する場合、もしくは大切な人を守ろうとする場合。

「分かったならそれでいい」

鷹央は再び壁をペタペタと触りはじめる。湯浅が殺害された当時、黒部がいたと思われる場所を執拗に調べている鷹央を見ながら、僕はふとあることに気づく。

鷹央は僕なんかよりずっと先に、ベクロニウムが黒部を指している可能性に思い至ったのではないだろうか。僕が思いつく程度のことに、鷹央が気づかないわけがないのだ。きっと、鷹央は筋弛緩剤の件を聞いた瞬間に、それがダイイングメッセージである可能性を思いつき、そしてすぐにそれを否定した。

けれど、鷹央は黒部を疑っているような気がする。少なくとも、黒部が犯人である可能性について、徹底的に洗おうとしている。

きっと、その可能性が極めて低いことを理解しながらも、筋弛緩剤を点滴ラインに接続した湯浅の行動がダイイングメッセージであって欲しいと、鷹央も思っているのだろう。もしあれがダイイングメッセージでないとするなら、湯浅が最期に取った行動が意味することは一つしかない。

筋弛緩剤を投与して、鴻ノ池を窒息死させようとした。

湯浅がそこまでして鴻ノ池を殺害しようとする理由もただ一つだ。鴻ノ池こそ、湯浅の首をメスで切り裂いた犯人だということ。

あれがダイイングメッセージでないなら、鴻ノ池が犯人である可能性が高くなる。だからこそ、鷹央は黒部が今回の事件を起こしうる方法がないかを必死に探っているのだろう。

鴻ノ池を救うために。

鷹央は『謎』に相対するとき、感情に左右されることなく、あらゆる可能性を探ることをポリシーとしている。そんな鷹央にとって、個人的感情が入ってしまっているいまの状態は、決して好ましいものではないのかもしれない。

けれど、僕には必死に鴻ノ池を救おうとしている鷹央の姿が嬉しかった。超人的な頭脳の代償として、他人の気持ちを読み取ることが困難な鷹央は、これまで他人との接触を最低限にすることで社会と折り合いをつけてきた。自らには理解不可能な他人の感情に振り回されることを嫌い、論理という鎧《よろい》で身を守ってきた。そんな鷹央がいま、論理よりも鴻ノ池を助けたいという『感情』によって動いている。

僕や鴻ノ池との接触を通して、鷹央が籠《こも》っていた硬い殻にひびが入りはじめているのだ。

この変化が間違いでないことを証明するためにも、鴻ノ池の無実を証明したい。僕は心からそう思った。

「小鳥、この部屋の給気口も見たい。もう一度肩車しろ」

振り返った鷹央が声をかけてくる。僕は「はい」と鷹央に近づき、その場にしゃがみこむ。

「……今度はやけに素直だな」

怪訝《けげん》そうにつぶやきながら、鷹央は僕の肩に跨った。僕が立ち上がると、鷹央は第八手術室でやったように、給気口を調べはじめる。

「つくりはさっき見たものと同じみたいだ。よく見ると、奥に第八手術室が見えるけれど、やっぱり狭くてあっちの部屋まで通り抜けるのは難しいな」

「でも、事件現場と繋がっているんでしょ。それなら、通り抜けられなくても、糸か使ってどうにかなりませんかね。糸の先にメスをつけて、それでどうにか被害者の首に致命傷を負わせたあと、糸だけ回収したとか」

「どうにか致命傷を与えるって、具体的にはどうやるんだよ？」

「いえ、そこまでは分かりませんけど……」

「だよな。期待していなかったよ」

そんな言い方ないじゃないか。僕が口をへの字にすると、鷹央は額を叩いてくる。

「降ろしていいぞ。見るべきものは見た。家に帰ってからあらためて考えてみる」

これでようやく、このスパイごっこから解放されるのか。僕はほっとしながら、しゃがみこもうとする。そのとき、扉が開く音が部屋に響いた。僕は反射的に振り返る。遠心力でバランスを崩したのか、鷹央は「ひあぁ⁉」と気の抜けた声を上げると、また僕の髪を摑んで、思い切り引っ張った。激痛とともに、プチプチという不吉な音が頭皮から響く。

「きゃあ⁉」

甲高い悲鳴が響き渡り、扉の奥の人影が崩れ落ちた。おそらく腰を抜かしたのだろう。扉を開けたら暗い手術室の中に、肩車をした二人組がいたのだ。驚くのも当然だ。

とうとう見つかってしまった。僕は必死に言い訳の言葉を考えながら、座り込んだままの人影を見る。誘導灯の薄い光に、その顔が浮かび上がった。

「あなたたち、いったい……」

麻酔科部長の辻野咲江《さきえ》は、震える指を僕たちに向けた。

「はい、どうぞ」

辻野がマグカップを差し出す。それを両手で受け取った鷹央は、中に入ったココアをすすりはじめた。

「あつっ！」小さな悲鳴を上げると、鷹央は小さく舌を出した。

「慌てて飲むから。鷹央先生、猫舌なんだから気をつけてくださいよ」

「うるひゃい！」よほど熱かったのか、鷹央は舌ったらずに言う。

「小鳥遊君にはコーヒーね。はいどうぞ」

「ありがとうございます」

辻野が差し出すカップを、僕は首をすくめながら受け取る。第七手術室で肩車されているところを目撃されてから約十分後、僕たちは麻酔科控室で辻野にもてなされていた。

「いやあ、けど驚いちゃったわよ。当直中、ちょっとここで書類仕事でもしようと思ってＩＣＵの当直室から降りて来たら、誰もいないはずのこの階で声が聞こえるんだもん。確認しようと思って手術室の扉開けたら、暗闇の中にすごく大きなシルエットが見えてさ、一瞬怪物かなにかかと思っちゃった」

リスのような生物がプリントされた自分用のマグカップを手に、快活に笑う辻野の前で、僕は「すみません」と体を小さくする。

「気にしなくていいわよ。けど、あなたが噂の天久鷹央先生なのね」

懸命にココアに息を吹きかけていた鷹央は、「噂の？」と顔を上げる。

「院長先生が言っていたの。たぶん、天医会総合病院の天久鷹央先生が手術部を調べたいって言ってくるはずだから、もう警察が引き上げて、手術がない時間だったら見せてあげてくれないかってね」

だから、警備員を呼んだりせずにこの控室に通してくれたのか。しかし、院長もそんな指示を出していてくれたのなら、前もって伝えておいてほしかった。そうすれば、肝を冷やしながらスパイごっこをする必要などなかったのに。

「天久先生って本当に可愛いわねえ」

辻野は目を細める。可愛いと言われ、鷹央はどこか得意顔になる。辻野の言った可愛いは、なんとなく幼児や小動物に対する『可愛い』に分類されるもののように聞こえたが、とりあえず黙っておく。

「もしかして辻野先生、僕がこの病院に来た理由も聞いていたりします？」

「もちろん、全部聞いているわよ。なんといっても、この手術部の責任者は私だからね。それに……。誰が湯浅君を殺したのか、私が誰よりも知りたいしね」

「辻野先生は……、患者が犯人だとは思っていないんですか？」

辻野が鴻ノ池の素性についてどれだけ知っているのか分からないので、僕は言葉を選びながら慎重に訊ねる。

「鴻ノ池さんだっけ、天医会の研修医の。あの子が犯人のわけないわよ」

「なんでそう言い切れるんですか？」

「私は十五年以上麻酔科医をやっている。手術が終わってすぐの患者、しかも女性が男に切りつけて致命傷を負わせるなんて、どう考えてもできるわけない。麻酔から醒めてすぐは、指先を動かすのだって難しいはずだからね」

辻野はマグカップのコーヒーを一口すると、僕たちを見る。

「鴻ノ池さんは絶対に犯人じゃない。だから、病室を監視させるのはおかしいって、何度も警察には抗議したの。院長にも、患者が不当に扱われているから、警察にクレームを入れるように進言したわよ。でも警察は『監視しているわけじゃない。事件の参考人だから守っているだけだ』って繰り返すだけ」

肩をすくめる辻野を見て、僕は少し安堵した。麻酔の専門家がこう言い切っているのだ。警察だって、おいそれと鴻ノ池を逮捕したりはできないだろう。

「湯浅っていう麻酔科医とは親しかったのか？」鷹央が口を挟む。

「湯浅君と？　ええ、親しかったわよ。同じ大学の後輩だしね」

「辻野先生も陵光医大の麻酔科出身なんですか？」

僕が訊ねると、辻野は笑みを浮かべた。

「うん、もともとは医局からの派遣でここに勤めていたんだけど、三年前に前の麻酔科部長が定年退職したのを機に引き抜かれて、正式にこの病院に就職することになったの」

「湯浅はどんな男だった?」鷹央はマグカップをローテーブルの上に置く。

「どんな男って言われても……。優秀な麻酔科医だったわよ。心臓外科の麻酔も十分に任せられるし、ICU管理も問題なくこなしていた。人当たりも良かったから、スタッフからも信頼されていたわね」

「去年、交通事故で救急搬送された男が、第八手術室で術中死したことがあっただろ。その際に湯浅が麻酔を担当していたっていうのは本当か?」

鷹央が訊ねると、辻野の表情が硬度を増した。

「たしかに、その手術は湯浅君が麻酔を担当した。けれど、湯浅君にはなんの落ち度もなかったわよ。搬送された時点で、救命困難な状態だったんだから」

「そうなのかもしれないけど、医療の専門家ではない人間なら、執刀医や麻酔科医のせいで患者が死んだと思い込む可能性もあるんじゃないか?」

「患者の家族が湯浅君を恨んでいたっていうこと?　まあ、絶対にないとは言い切れないけど……」辻野は歯切れが悪くなる。

「家族だけじゃない。患者本人もだ」

低い声で言う鷹央の前で、辻野は「患者本人?」と眉根を寄せる。

「術中死があったあと、第八手術室の周囲で怪奇現象が目撃されている。そして、それを見たのは先週命を落とした湯浅とお前だ」

自分よりかなり年下の鷹央に「お前」と呼ばれ、辻野は一瞬顔を歪める。いや、表情がこわばったのは、『第八手術室の怪奇現象』について話が及んだからだろうか？

辻野は数秒、鷹央を見つめたあと、大きく息を吐いた。

「本当によく調べているわね。どこから聞いたの、そんな話？」

「情報源はどこでもいいだろ。それより、あの手術室の前で何を見たんだ？」

鷹央はテーブルに両手をついて、身を乗り出す。その勢いに圧倒されたのか、少しのけぞった辻野は、ためらいがちに口を開いた。

「あれは去年の十二月の初旬……、私は書類仕事が溜《た》まっていて、深夜まで自分の部屋にこもっていたの」

「自分の部屋？」鷹央は小首をかしげる。

「ああ、自宅ってわけじゃなくて、あそこのことよ」

辻野は麻酔科控室の奥にある扉を指さす。その扉には『麻酔科部長室』と表札がかかっていた。

「部長室っていっても、四畳半ぐらいのスペースにデスクと本棚が置いてあるだけなんだけど、その狭さが逆にいいのか、仕事がはかどるのよね」

「ああ、なるほどな。それで、仕事をしていたら何があったんだ？」

「深夜の二時ぐらいだったかしら。仕事が一段落したから、自宅に帰ろうと思って控室を出たの。そうしたら、遠くからうめくような声が聞こえた」

辻野の怪談を語っているかのような口調に、緊張が高まっていく。

「最初は気のせいだと思ったけど、すぐに今度ははっきりと男性の悲鳴が響いたの。私は驚いて声が聞こえてきた方向、手術部の奥に走っていった」

「そんな時間なら手術部の明かりは落とされていただろ。うめき声なんかが聞こえてきて、怖くなかったのか？」

当然といえば当然の疑問に、辻野は苦笑を浮かべる。

「この手術部は私にとって家みたいなものなのよ。自宅にいるより、ここにいる時間の方がはるかに長い。だから暗くても、怖いって感覚はなかったわね。そうして私は廊下を奥に進んで十字路に差し掛かった。そこで……見たの」

言葉を切った辻野は、唇を一度舐める。

「第五から第八手術室までがある方の廊下、十字路から数メートル奥に行ったところに湯浅君が座り込んでいた」

「湯浅はなんで、そんな深夜まで病院に残っていたんだ？」

「その日の麻酔科当直が湯浅君だったの。麻酔科の当直医は基本的に、一階上のＩＣ

Uにある麻酔科当直室にいるんだけど、深夜に一回、ICUの回診と、手術部の見回りをすることになっている。だから、湯浅君がそこにいること自体はおかしくはなかった。問題は、湯浅君が腰を抜かして震えていたこと」

辻野は心を落ち着かせるように、胸元に手を置く。

「私は驚いて湯浅君に駆け寄ると、『なにがあったの?』って訊ねた。けれど、湯浅君はなにも答えないで、ただ震える指で廊下の奥をさしたの」

「廊下の奥に何があったんだ?」

鷹央はソファーから腰を浮かす。辻野は首を力なく左右に振った。

「あれが何だったのか、いまも分からない。そもそも、現実に起きたことなのかさえも確信が持てない。ただ、廊下の奥、第八手術室の前辺りに……『何か』がいた」

「何かって? 具体的にはどんなことが起こっていたんだ?」

「第八手術室の前だけ、……闇《やみ》が濃くなっていたの」

「闇が濃く?」鷹央はいぶかしげにその言葉を口にする。

「そう、それ以外に表現のしようがないの。そこだけ、輪郭のはっきりしない『影』がたゆたっているようだった。私にはその『影』が人の形をしているように見えたの」

「それって、薄暗い廊下の奥に誰かがいたっていうことですか?」

思わず質問が口をつく。しかし、辻野ははっきりと首を横に振った。

「いえ、そうじゃない。だって、その『何か』は透けていたんだから」

「透けて？」

「そう、その『何か』の奥にある、非常口とか廊下に置かれているカートとかは、はっきりと見えたの。その『何か』の部分だけ、闇の濃度が少しだけ上がっている感じだった」

「それって、見間違いとか、目の錯覚とかじゃ……」

脳裏に浮かぶ『透明人間』という言葉を必死に打ち消しながら、僕は問う。

「それはあり得ない」辻野ははっきりと言う。「私も最初は自分の影が廊下の奥に映っているんじゃないかと思った。そうしたら、急にその『何か』のそばに置いてあった救急用カートが動き出したの」

「カートが……」

手術部の廊下に置かれている救急用カートは、緊急時に使用する薬剤や点滴、器具などが詰め込まれていて、かなりの重量がある。この前、八巻と野乃花が動かした器具台とは違い、そう簡単に動かすことはできないはずだ。

「しかも、少し動いたとかじゃなくて、踊っているみたいにぐるぐる回転して、私たちに向けてすごい勢いで迫ってきた。ぶつかると思って、私と湯浅君は慌てて身を躱《かわ》した。そうしたら、カートは同じぐらいの速度で廊下の奥に戻って、そしてそこでまた回転をはじめた。誰も触っていないはずなのに」

　暗い廊下でひとりでに回転するカートを想像し、僕は寒気をおぼえる。

「それを見てパニックになっちゃって、私は思い切り悲鳴を上げたの。そうしたら、急にカートは動きを止めて、そして『影』が凄《すご》いスピードで迫ってきた」

　辻野は自分の両肩を抱きながら、話を続けた。

「『影』は、私と湯浅君の目の前までやって来て一瞬停止すると、今度は廊下の奥に戻っていった。そして開いていたドアから第八手術室に入っていったの」

「カートを動かした『影』が、第八手術室に逃げ込んだように見えたということですか?」

　僕が確認すると、辻野は「その通りよ」とためらいがちに頷いた。

「そのあと、辻野先生はどうしたんですか?」

「私は動けなかった。湯浅君と一緒に、廊下に座り込んでいた。そうしたら、夜間の巡回をしていた警備員が私の悲鳴を聞いて駆けつけたの。まだパニック状態だった私は、なにが起こったか警備員にまくしたてた。最初、警備員は私が幻覚でもみたんじゃないかと思っていたみたいだけど、湯浅君も私と同じものを見たって言うのを聞いて、慌ててあたりを調べてくれたの」

「なにか異常は見つかりましたか？」

辻野は「ううん、なにも」と自虐的な笑みを浮かべた。

「なにも？」

「警備員がすぐに第八手術室を調べたけど、特に異常は見つからなかった。つまり、私と湯浅君が見たものを証明する客観的な証拠は何一つなかったのよ」

「……そのあと、辻野先生と湯浅さんはどうしたんですか？」

「どうもしなかったわよ」

「どうもしなかった⁉」

僕が驚きの声を上げると、辻野は小さくため息を吐いた。

「私自身、自分が見たものが信じられなかった。しかも、証拠もない。そんな状態で騒ぎ立てたら、私と湯浅君がおかしくなったんじゃないかって疑われるかもしれない。もしくは、二人して変なデマを流しているんじゃないかってね。そんなことになれば、仕事に支障が出る。私たち麻酔科医は縁の下の力持ちなの。麻酔科が機能不全に陥ったりしたら、この病院全体の手術に影響が出る。だから、見間違えだと思うようにしたの」

「見間違えってそんな……」

「それしかなかったのよ。そのおかげで、大きな騒ぎになることはなかった。まあ、私たちが怪奇現象を見たっていう噂は、一部の職員には広がっていたみたいだけどね。けど、病院なんてもともと怪談の宝庫でしょ。ちょっとからかわれるぐらいで、本気にする人はいなかった」

辻野は遠い目で天井を見上げる。

「見間違いだったたって自分に言い聞かせているうちに、本当にそんな気になっていたの。だから、あの怪奇現象のことは忘れかけていた。……先週まで」

「湯浅さんの事件まで、ですね」

「そう、ディスプレイに『何か』と取っ組み合っているような湯浅君が映ったとき、すぐにあの第八手術室の前で見た『影』が頭をかすめた。そのうえ数日前には、黒部先生まで第八手術室の前で幽霊を見たとか言い出した」

黒部が見たものは、ちょっと別の話なんだけどね。僕は内心でつぶやく。

「やっぱり、第八手術室にはなにかある。それは間違いないの。湯浅君の事件は、麻酔から醒めた患者がやったなんて単純なものじゃない。きっと、他に犯人がいるはず。何度も警察にはそう言っているのに、取り合ってもらえないのよ」

辻野の顔に濃い疲労の色が浮かんだ。

「湯浅を恨んでいる人間に心当たりはないか？」鷹央が声を上げる。

「警察にも同じこと訊かれたな」辻野は苦笑を浮かべた。「湯浅君は穏やかな性格で、他人に恨まれるような人じゃなかったわよ」

辻野のセリフは僕にはなぜか、やけに白々しく聞こえた。

「いくら穏やかな性格だからといっても、他人から絶対に恨まれないとは言えないだろ。仕事仲間には知られていない裏の顔があった可能性だってあるし、何も悪いことをしなくても、逆恨みを買うことはある」

鷹央が平板な口調で言うと、辻野は落ち着きなく視線を動かしはじめた。

「辻野先生、知っていることがあるなら教えてください」

僕が促すと、辻野は諦めたかのように小さく息を吐いた。

「二、三ヶ月前から、湯浅君宛に脅迫状が届くようになったの」

「脅迫状ですか⁉」意外な情報に、声が大きくなる。

「そう、二、三週間に一回ぐらいの頻度で届いていた。私も一度だけ見せてもらったけど、便箋に定規で引いたみたいな角ばった字で書かれていた」

「どんな内容だったんですか？」

「私が見たのは『お前は麻酔科医失格だ、すぐに仕事を辞めろ』みたいなことが書かれていたけど、どんどん文面もエスカレートしていったみたい。いや、文面だけじゃないか」

「文面だけじゃない？」

「そう、この前送られてきた封筒には剃刀の刃が仕込んであったの」

「剃刀の刃？　それって大丈夫だったんですか？」

「ほんの少しだけ指先を切っちゃったみたいだけど、大したことはなかったわよ」

「怪我は大したことなかったとしても、それって大事なんじゃ……」

「ええ、だから対処の仕方をあらためて話し合うはずだった。けれど、その前に……」

悔しそうに辻野は唇を嚙んだ。

「その剃刀入りの封筒はいつ届いたんだ？」

「……ちょうど、湯浅君が亡くなった日よ。昼に封筒を開けて、湯浅君は怪我したの」

辻野の答えを聞いて、僕は目を見張る。剃刀入りの封筒で怪我をし、その数時間後に命を落とした？　もしかしたら、その剃刀になにか毒でも塗られていたのではないだろうか？　湯浅が『見えない何か』と戦っていたのは、毒の幻覚によってパニックになっていたからかもしれない。

「その封筒は警察に渡したのか？」

「ええ、湯浅君のだけじゃなくて、黒部先生のも警察が持っていったはずよ」

鷹央の問いに、辻野は頷く。

「黒部のも？　黒部にも脅迫状が届いていたのか？」

「黒部先生は周りには隠していたみたいだけど、湯浅君と同じタイミングで脅迫状が届きはじめていたんだって。事件の日に、剃刀入りの封筒も。私もこの前、院長から聞いて知ったんだけどね。病院には報告していたみたい」

同じような脅迫状を受け取っていた男が、あまりにも異常な状況で死を遂げた。事件後、黒部が異常なほど怯えていたことも納得だ。

しかし、黒部と湯浅に脅迫状か……。そうなると、やはり事件を解くカギは、去年起こったという術中死ではないだろうか？　亡くなった患者の関係者が黒部と湯浅を恨み、そしてついに……。

僕がそんなことを考えていると、鷹央が声を上げた。

「そういえば、なんで湯浅はこの病院で働きはじめたんだ？」

唐突に話題を変えた鷹央に、辻野は「え？　どういうこと？」と戸惑う。

「湯浅は大学院を辞めて、ここに勤めているだろ。なんで博士号を取る前に、大学院を辞めたんだ？」

「そのあたりのことは、私も詳しく知らないのよね。去年の三月初めに急に大学院の授業を休みだして、その月のうちには退学を決めていたらしいの。やってみたら、基礎研究が肌に合わなかったからだろうと思っていたんだけど」

辻野は当時のことを思いだしているのか、視線を上げる。

「それで、医局を通じてうちの病院で働かせてもらえないかっていうオファーがあったの。もともと私、彼の研修時代の指導医で、その後もけっこう仲良くしていたからね。うちの病院も麻酔科医が足りていなかったし、二つ返事でオーケーしたのよ。けど、まさかこんなことになるなんて……」

辻野は悲痛な表情で黙り込んだ。そのとき、鷹央が「そうだ！」と声をあげた。

「なあ、事件前後の監視カメラの映像って見ることできないか？　手術部の責任者なら、それくらいできるだろ」

「ごめんなさいね、あれは手術部じゃなくて、警備部の管理だからダメなのよ。この前、ナースステーションの奥にある映像データを保管してある部屋に、誰かが侵入した形跡があったらしくて、最近とくに管理が厳しくなっているのよね」

辻野の答えを聞いて、鷹央の顔に落胆の色が浮かぶ。僕も思わず顔をしかめてしまった。どうやら、野乃花が映像を盗み出したことに気づかれてしまったようだ。そうなると、もう事件前後の映像を手に入れることは困難だ。

鷹央は黙り込むと、腕を組んで考え込みはじめた。辻野から得るべき情報をすべて聞き出して、今度はそれを頭の中で整理しはじめたのだろう。

僕は腕時計に視線を落とす。時刻は午前二時近くになっていた。そろそろお暇《いとま》した方がいいかもしれない。

しかし……。僕は二人の女性医師を眺めながら考える。たしかに辻野から色々な情報を得ることができた。だが、それによって余計に訳が分からなくなってきた。

去年の十二月に辻野と湯浅が見た『透明人間』、湯浅と黒部に送られてきた脅迫状、そして湯浅殺害事件。それらはいったいどのように繋がっているのだろう？

あの第八手術室には、いったいなにがあるというのだろう？

隣で険しい表情を浮かべる鷹央の横顔を見ながら、僕は寒気をおぼえて体を震わせた。

第三章　シリンジのダイイングメッセージ

1

ピンセットでつまみ上げた細い縫合糸を眼科剪刀で切断する。ピンセットを引くと、するりと糸は抜けた。

「よし、抜糸終わったぞ」

僕は処置用カートの上に器具を置くと、傷口にガーゼを固定しつつ鴻《こう》ノ池《いけ》に声をかける。ベッドに横たわり、両手で顔を覆っている鴻ノ池に。

「うう、なんでまた小鳥《こ》先生に下腹部を……」

弱々しくつぶやく鴻ノ池に、僕は湿った視線を投げかける。

「そのネタはもう飽きた」

「飽きたってなんですか⁉　飽きたって！　男っていつもそう、口説いてくるときは

必死なくせに、一度手に入れると『釣った魚にゃ餌はいらねえ』みたいな
「なんの話しているんだよ。恥ずかしいならさっさと隠せばいいだろ」

「言われなくても隠しますよ」

鴻ノ池ははだけていた手術着を直すと、僕を横目でにらむ。

「こんな処置、研修医だってできるじゃないですか。なんで小鳥先生がやるんですか？」

週が明けた火曜の午後、僕は鴻ノ池の手術跡の抜糸を行っていた。

「研修医に僕がやるって代わってもらったんだよ」

「え？　なにそれ？　そこまでして私の下腹部見たかったわけ？」

ベッド上の鴻ノ池は真顔になると、上体を起こして後ずさる。

「そんなわけあるか！　お前の様子を見に来たんだよ。用がないのに病室に来たら、刑事に怪しまれるだろ」

鴻ノ池の病室の前には、いまだに二十四時間体制で刑事が待機していた。

「という名目で、本当の目的は私の体を……」

「しつこい！」

声を荒げながらも、僕はいつも通りに僕をからかってくる鴻ノ池の様子に（多少苛つきつつも）安堵していた。前回のような悲壮感は、今日は感じられない。

「それで、どんな感じだ？」

使用済みの器具をビニール袋に入れながら、鴻ノ池に訊ねる。

「体調ですか？　順調ですよ。傷口も痛まないし、食事も全粥《ぜんがゆ》が食べられるくらいに回復しています」

「体調じゃなくて、あっちの方だよ」

「ああ、警察ですか？　そっちも安心してください。たしかに毎日話を聞きに来て、私がやったんじゃないかってねちねち責めてきますけど、はっきり言っています。『私は絶対に湯浅《ゆあさ》先輩を殺してなんかいません』ってね」

鴻ノ池の口調は力強かった。僕は笑みを浮かべる。

「強いな、お前は」

「もう事件から二週間近く経ちましたからね。いつまでも落ち込んでいられないですよ。それに、鷹央《たかお》先生が事件を解決しようって頑張っているのに、私が諦めて台無しにするわけにはいかないですからね」

鴻ノ池は微笑むと、小さくガッツポーズを作った。

「警察には他になにか訊かれたか？」

「主に訊かれるのは湯浅先輩との関係についてですね。メールのやり取りとかも全部見せろって言ってくるんですよ。プライバシーの侵害ですよね。変に疑われたくないから見せましたけど。まあ、別れてから数年間は完全に没交渉で、去年の春から連絡を再開したんで、そんなに量はなかったですけどね」

　鴻ノ池は芝居じみた仕草で肩をすくめた。

「ん、お前と湯浅が連絡を再開したのって、去年の春なのか？」

「ええ、去年の三月ごろ、突然あっちから連絡があったんですよ」

「三月……」そのころ、湯浅は急に大学院を辞めたはずだ。

「湯浅はなんで連絡を取ってきたんだ？」

「それがですね、ペットを飼ってくれないかって言ってきたんですよ」

「ペット？」

「はい、ペットを譲る相手を探している。信頼できる人間に譲りたいってね」

「なんだよそれ、無責任だな。ペットは最後まで面倒見るのが義務だろ」

「ええ、私もそう言いました。そうしたら湯浅先輩、どうしても手放さないといけない理由ができたんだって言って」

「その理由ってなんだよ？」

「そこまでは教えてくれませんでした。すぐに断りましたから。一人暮らしで、しかも初期研修がはじまるのに、ペットなんて飼えないって。手がかからないから、一人暮らしでも問題ないとか、かなりしつこく言ってきましたけど、そもそも私がいま住んでいる研修医寮、ペットって禁止ですからね」

「ちなみに、そのペットってなんだったんだ？」

「えーっと、なんでしたっけ？　犬とか猫ではなかったはずです。ブタ……。違うなあ。なんか、美味しそうな名前だったんだけど……」

ブタ？　美味しそう？　何言っているんだこいつ？

僕が首をひねる前で、鴻ノ池は唇に指を当てながら「ピロシキ？　ポアレ？　フォンデュ？」と料理の名前をつぶやき続ける。

「そんな名前の動物はいない」

「最初から飼うつもりなかったんで、よく覚えていないんですよ。結局他の知り合いが飼ってくれることになったらしいです。けどそれ以来、時々連絡取り合うようになったんですよね」鴻ノ池はこめかみを掻いた。

大学院を辞めた頃に、湯浅はペットを飼えなくなった。ペット不可の部屋にでも引っ越したということだろうか？

「あっ、そうだ」考え込んでいた僕は、鴻ノ池に向き直る。「なんで湯浅が大学院を途中で辞めたのか、理由を聞いていないか？」

「それ、私も不思議に思って問い詰めたんですよ。湯浅先輩、昔からずっと将来は基礎研究したいって言っていたのに。でも、訊いても曖昧にはぐらかされるだけで、結局答えてはくれませんでした」

鴻ノ池は小さく息を吐くと、窓の外を眺める。

「湯浅先輩が何を考えていたか、もう一生分からないんですよね」

僕はなんと声をかけていいか分からず、哀愁のこもった鴻ノ池の横顔を眺め続ける。

「……小鳥先生」鴻ノ池は外に視線を向けたままつぶやいた。「鷹央先生は事件を解決できそうですか」

僕は口元に力を込める。この数日間で、様々な情報を集めることができた。しかし情報が集まるにつれ、逆に真相が深い霧の中に逃げていく気がする。

辻野《つじの》の話を聞き終えたときの鷹央の厳しい表情を見ると、まだ真相に近づいているような段階ではないのだろう。

「ああ、大丈夫だよ。きっともうすぐお前の容疑は晴れるって」

僕は笑顔を作ると、努めて明るい声で言う。振り返った僕を一瞥すると、鴻ノ池は苦笑を浮かべた。

「小鳥先生って本当に嘘が下手ですよね。顔に書いてありますよ、行き詰っているって」

「いや、そんなこと……」図星をつかれ、しどろもどろになってしまう。

「女は男の嘘がすぐに見破れるんですよ。だからだめですよ、鷹央先生がいるのに浮気とかしちゃ。すぐにばれちゃいますからね」

「……だから、そんな関係じゃないって、何度言えばいいんだよ」

「えー本当にまだなんですか？　四月になったんだから、二人の関係もそろそろサクラサク、とかないんですか？」

「ないよ。お前、よくこんなときに冗談いう余裕あるな」

「こんなときだからですよ」鴻ノ池はふっと、大人びた表情を浮かべる。「もし逮捕されたら、もう鷹央先生とか小鳥先生と働けなくなるでしょ」

「いや、そうと決まったわけじゃ……」

「いいんですよ、気を使わなくても。ただ、残念なんですよね。統括診断部で働くのすごく楽しみにしていたから。鷹央先生が色々な『謎』を解くのを、小鳥先生と私で勉強しながらサポートできたらいいなぁと思って」

鴻ノ池は数秒遠い目で天井を見上げたあと、唐突に首を回して僕を見る。

「鷹央先生と二人して小鳥先生からかったり、私が色々と暗躍してお二人をくっつけたりするのも超楽しみだったんです」

「……いい話が台無しだ」

「まあ、それは置いといて、私、嬉しかったんですよ」

「嬉しかった？」

「鷹央先生と小鳥先生が私のためにに頑張ってくれたことがです。目の前で湯浅先輩が死んで、私が殺したかもしれないって警察に言われたとき、私、全てがどうでもよくなったんです。本当に自分が湯浅先輩を殺した気がしてきて、もう生きていても仕方がないんじゃないかって思ったんです」

鴻ノ池は俯《うつむ》きながら、低い声で言う。僕が声をかけようと口を開きかけたとき、鴻ノ池は「でも」と顔を上げた。

「小鳥先生が来てくれて、そして鷹央先生が私のために事件を調べてくれているって聞いて、目が覚めました。二人が頑張ってくれているのに、私が諦めてどうするんだって思って。もう、死んだ方がいいとか絶対に思いません。もしかしたら逮捕されるかもしれないけど、お二人には本当に感謝しているんです！」

鴻ノ池は力強く言う。僕は唇の端を上げると、鴻ノ池の額を指ではじいた。

「いたっ！　なにするんですか？」鴻ノ池は両手で額を押さえる。

「くだらない心配するな。あの鷹央先生が本気で取り組んでいるんだぞ。お前の容疑はすぐに晴れて、ちゃんと統括診断部で研修できるようになるさ」

僕が微笑むと、鴻ノ池は一瞬呆けた表情になったあと、すぐに笑みを浮かべた。

鴻ノ池らしい晴れやかな笑みを。

「はいっ！　よろしくお願いします！」

2

「小鳥遊《たかなし》先生、少しいいかな？」

鴻ノ池の抜糸を終え、ナースステーションに戻ると、背後から声をかけられた。振り返ると、外科副部長である戸隠《とがくれ》が立っていた。

「お疲れ様です。どうかしましたか？」

「鴻ノ池さんの抜糸をしたね」

「えっ？　あ、はい」

胸の中で心臓が跳ねる。僕と鴻ノ池が知り合いであることは、戸隠は知らないはずだ。あくまで僕は大学病院からの派遣という形になっているのだから。

「傷の具合は問題なかったか？」

「傷って、鴻ノ池……さんの手術跡のことですか？　ええ、きれいでしたよ」

「小鳥遊先生……」戸隠は声をひそめる。「彼女の特別な事情は聞いているか？」

「先々週に彼女の手術中にあった事件のことですね。噂は聞いています。そのせいで、病室の前にいつも刑事がいるんですよね」

「ああ、そうだ。事件が事件なだけに、病院も刑事がいることを黙認していた。しかし、他の入院患者から不安の声もあがっている。そこで……」

戸隠はあたりを見回すと、声をさらに小さくする。

「そろそろ、彼女を退院させようと思っている」

「えっ？　退院⁉」声が甲高くなってしまう。

「抜糸も終わったし、食事もできている。術後の経過は順調だ。普通なら、もっと早く退院していてもいいくらいだ」

「たしかにそうですけど……」

僕は言葉を濁す。僕がこの病院に潜入した最大の目的は、鴻ノ池と接触するためだ。鴻ノ池がいなくなったら、ここで勤務する理由がなくなる。

もし鴻ノ池が退院したらどうなるのだろうか。刑事は鴻ノ池の自宅を監視する？

今後の状況をシミュレートしていた僕の頭に、ふと疑問が浮かぶ。

「あの、退院を決めるのは黒部《くろべ》部長じゃ……」

清和総合病院の第一外科に入院している全患者の主治医は名目上、部長である黒部が務めている。退院の決定を下すのも黒部のはずだ。

「部長は休職することになった」

「はぁ⁉」僕は目を剝く。

「先ほど『もう耐えられない！』と言い出して、当院の精神科を受診した。結果、精神的に不安定で、休養が必要と判断された。当分の間は私が部長代理を務める。手術が回せなくなるので、待機可能な患者の手術は予定を遅らせてもらう。待つことが難しい患者は、第二外科に回すか、ツテのある大学病院に転院してもらうことになる」

淡々とした口調で話す戸隠の前で、僕は口を半開きにする。去年から続く怪奇現象と脅迫状、そして三日前の野乃花の反撃により、黒部の精神に限界がおとずれたのだろう。

「いや、それは……。大変ですね」

僕が間の抜けた感想を口にすると、戸隠は重々しく頷いた。

「ああ、大変だ。やらないといけないことが山ほどある。だから、まずは一番面倒な件から手を付けようと思う。小鳥遊先生、悪いが鴻ノ池さんに退院のことを打診してもらえないか？　できれば今週中には退院してもらいたい」

早口で指示を出した戸隠は、僕の返事を聞くことなく、「よろしく頼む」とナースステーションから出て行った。

生き生きしているな。戸隠の背中を見送った僕は、胸の中でつぶやく。外科の責任者となったことで戸隠の全身からエネルギーが迸っているようだった。

もともと、手術の腕も人望も黒部より上だった。黒部の下についていることに、内心鬱積する思いがあったのかもしれない。

今回の一連の事件で、最も得をしたのは戸隠ではないか？　まさか、戸隠が湯浅を……。そんな考えが頭をかすめる

いや、そんなわけはない。八巻《やまき》や辻野から聞いた話では、事件が起きたとき戸隠は麻酔科控室にいたはずだ。けれど、戸隠は鴻ノ池の手術の執刀医だった。なんらかの方法で現場にいない状態で事件を起こしたのでは……。おかしな想像が頭を駆け巡る。

軽い頭痛をおぼえた僕は、ナースステーションを出た。少し歩いたところに、患者が見舞客と話をしたりするための談話室がある。そこの自動販売機で缶コーヒーでも買って、頭をすっきりさせよう。

広々とした談話室には患者とその家族らしき見舞客が二組、テーブルをはさんで話をしていた。大きな窓からは午後のうららかな光が差し込んでいる。

部屋の奥を見た僕は、そこにいた二人の男を見て顔をしかめる。

「……なにかご用ですか？　小鳥遊先生」

ブラックの缶コーヒーを片手に、田無署の刑事、成瀬《なるせ》が低い声で言う。

「べつにあなた方に用なんてないですよ。コーヒーを買いに来ただけです」

僕は成瀬と、その隣に立つ迫《さこ》とかいう名前の刑事に視線を向ける。

「勤務中に一服ですか？　医者っていうのは、ずいぶん暇なんですな」

嫌味で飽和した成瀬のセリフに、僕は舌打ちしそうになる。

「成瀬君、やめなさい。僕たちは病院にお邪魔している立場なんだからね」

迫にたしなめられた成瀬は、悔しそうに黙り込んだ。胸の中で「ざまあみろ」と思っていると、迫は僕の目を見つめてきた。その双眸《そうぼう》は鋭く、胸の中まで見通されそうな迫力を内包していた。

「小鳥遊先生ですね、お噂はかねがね伺っていますよ。特にあなたのパートナーは、我々の業界でもなかなかの有名人だ」

パートナーとは鷹央のことだろう。どうやら、成瀬から僕の正体を聞いたようだ。

僕は喉を鳴らして唾を飲む。

「うちの桜井《さくらい》が、先生方に貴重なアドバイスを頂いていることは知っています。専門家のアドバイスはとてもありがたい。けれど、殺人事件の専門家は我々です。今回の事件では、先生方のお手を煩《わずら》わせることはないので、どうぞご安心ください」

迫は人工的な笑みを浮かべる。言葉面こそ丁寧だが、迫が口にした内容は、簡単に言えば「素人は引っ込んでいろ」ということだ。僕は口を固く結ぶ。

「それでは失礼します」

慇懃に頭を下げると、迫は「行くよ」と成瀬を促して僕のそばを通り過ぎていく。

不満顔で歩き出した成瀬は、僕とすれ違う瞬間、耳打ちをしてきた。

「えっ？」僕は驚いて成瀬の後姿を見る。しかし、成瀬が振り返ることはなかった。

二人の姿が消えるのを、僕は立ち尽くして見送った。

3

「これが湯浅春哉《はるや》の論文だ」

手術着姿の鷹央はクッキーを齧《かじ》りながら、ソファーに座る僕の膝にプリントアウトされた論文を置く。

談話室で二人の刑事とあった日の深夜、間もなく日付が変わろうとする時刻、僕は鷹央の〝家〟にいた。黒部の休職に伴って、今後手術予定だった患者を第二外科や大学病院へ割り振る作業で忙しく、一時間ほど前にようやく仕事を終えてここにやってきたのだ。

「えっと、『麻薬による幻覚作用と脳内物質についての考察』ですか？」

「癌性疼痛《とうつう》などで麻薬を使ったとき、副作用として幻覚が生じることがあるだろ。その際の脳内ホルモンの状態などについて、マウスを使った実験をしていたみたいだな。まあ、大学院生の論文だからまだ簡単なものだが、なかなかしっかりまとめられているぞ。この論文を見る限り、本人が基礎研究の道に進むつもりだったっていうのも納得だな」

鷹央はクッキーを一つ、口の中に放り込む。

「けれど、湯浅は大学院を途中で辞めているんですよ。この論文を書いたときはやる気があったけど、時間が経つにつれて熱意を失っていったってことなんでしょうかね？」

僕は隣に立つ鷹央が持っているクッキーの袋に手を伸ばす。仕事が忙しく、夕飯はカップラーメンだったので空腹なのだ。鷹央は普段の運動神経の悪さが嘘のように、素早く袋を引っ込めた。

「人のクッキーを盗《と》るんじゃない。つてを使って、その論文が載った雑誌の編集部に連絡をとってみた。そうしたら、論文が提出されたのは去年の二月だった。つまり、大学院に行かなくなる寸前だ。きっと論文を提出してから、大学院に行かなくなるまでのわずかな間に、湯浅春哉の身に何かが起きたんだ。自分の将来を変えるようなにかが」

「いったい何が起これば、急に大学院を退学して、先輩に頼み込んで市中病院で勤務しようと思うんでしょうね。そのうえ、昔の恋人に数年ぶりに連絡を取って、ペットを譲ろうとするなんて。わけがわかりませんよ」

「ペット云々《うんぬん》の話はいま聞いたばかりだから分からないけど、大学院を辞めた際の湯浅の様子については、少し分かったぞ。陵光医大大学院で教鞭《きょうべん》をとっている准《じゅん》教授に、時々メールのやり取りをする知り合いがいたからな」

引きこもりのくせに、ネットを介した交友関係は広いな、この人。

「それで、なにか分かりましたか？」

僕は身を乗り出すと、今度は気づかれないように、そっとクッキーの袋に手を伸ばす。鷹央はこれまで見たことがないほど素早い動きで、僕の手をはたいた。

「これは私のものだって言っているだろ！　なんにも分からなかったよ。大学院の方でも驚いていたらしい。かなりやる気があって、成績も優秀だったのに、急に授業にも研究室にも来なくなって、退学したんだってよ」

「優秀なら引き止めたりしなかったんですか？　普通やめる理由ぐらいは聞くでしょ？」

「もちろん引き止めたし、理由も訊ねたそうだ。けれど、一身上の都合の一点張りだったらしいな」

「怪しいですよね。今回の事件と何か関係があるんですかね？」

「関係がある気はする。けれど、どう関係があるかははっきりしない。一つ一つの事実をつなぎ合わせるための手がかりが、圧倒的に足りていないんだよ」

鷹央は苛立たしげにウェーブのかかった髪を掻き乱すと、重いため息を吐いた。なにやら全身から疲労が滲んでいる。

「大丈夫ですか、鷹央先生?」

「ああ、まあ。外来がきつくてな……」鷹央はクッキーを力なく齧る。

「外来? 研修医が僕の代わりをやっていたんじゃなかったんですか?」

「そうだったんだけど、送られてきた研修医たちの診察が全然ダメなんだよ。問診が不十分で患者から情報を聞き出せないし、内分泌《ないぶんぴ》疾患による抑うつ症状の患者を、『気分の問題だと思います』とか言って帰そうとしたりするし……」

外来診察では、限られた時間の中で患者から必要な情報を聞き出しつつ、可能性のある疾患を頭の中でリストアップする。さらにそれを診断するために必要な方法も考えなくてはならない。それにはある程度の臨床経験が必要だった。

特に統括診断部の外来には、多くの心気症(身体に疾患はないにもかかわらず、重病にかかっていると思い込む症状)の患者や、ただ愚痴やクレームを羅列するだけの受診者の中に、本当に重篤《じゅうとく》な疾患に罹患《りかん》している患者が混ざっている。大量の受診者の中から、精査を必要とする患者を見つけるという業務は、さすがに研修医には荷が重すぎるだろう。

「そんな研修医をいちいち指導するのが面倒になって、今度は自分で外来やろうとしたら、なぜかまた患者が怒り出すしさ」

やっぱり僕がいないとだめじゃないか。再び深いため息を吐く鷹央を見ながら、自然と口角が上がってしまう。

「……なんだよ、その得意げな顔は」

「いえ、別に」僕は慌てて口元を隠す。

鷹央は大きく舌打ちをすると、袋に残っていたクッキーを口に流し込んだ。

「全部、あの事件の真相が分かれば解決するんだ。お前もうちに戻すこともできるし、舞《まい》の疑いも晴らせる。晴らせるはずなんだ！」

クッキーを咀嚼《そしゃく》しながら苛立たしげに言う鷹央を見て、彼女の疲弊の理由が外来だけではないことに気づく。今回の事件の真相がまだ見えてきていないこと、それが鷹央に強いストレスを与えているのだろう。

普段、『謎』を目の前にすると、鷹央は心から楽しそうにそれに挑んでいく。鷹央にとって『謎』を解くことは、それ自体が目的であり、自らの超人的頭脳を駆使できる最高の生きがいなのだ。しかし、今回の事件では、『鴻ノ池を助けなくてはならない』という、別の目的がある。

鴻ノ池が逮捕されるまでに『謎』を解き明かし、そして容疑を晴らさなければいけないという重圧が、鷹央の小さな体にのしかかっているのだろう。

足りない手がかりと、迫りくるタイムリミット。状況はかなり悪い。

「なあ、小鳥」鷹央は横目で僕を見る。「秋津野乃花《あきつののか》は頼んでおいた事件前後の監視カメラ映像、手に入れられそうか？」

鷹央の問いに、僕はゆっくりと首を左右に振る。

「いえ、すぐには難しいようです。この前、辻野《つじの》先生が言っていたように、管理が厳しくなったらしくて」

数日前、映像データが管理されている部屋に侵入した際、慌てていた野乃花は帰り際、ディスプレイに映像を出したままにしてしまったらしい。それが発見され、誰かが侵入してデータを引き出したことが明るみに出た。そのせいで、それまでナースステーションで管理されていたデータ管理室の鍵《かぎ》は、警備室で保管されるようになったということだ。

鷹央は唇を嚙んで黙り込む。部屋に重苦しい空気が充満していく。僕は壁時計に視線を向けた。間もなく日付が変わる。

「そろそろ、約束の時間です」

僕が声をかけると、鷹央は気怠《けだる》そうに目元を揉んだ。

「ん？　ああ、あいつが来るのか。いったい何の用なんだ？」

「さあ、それは僕にもさっぱり……」

僕がつぶやくと同時に、重いノックの音が部屋に響いた。

「入っていいぞ、鍵はかけていない」

鷹央が声をかけると、扉が開いていく。しわの寄ったスーツを身にまとった大男が、のっそりと室内に入ってきた。

「こんな時間にレディの家を訪れるなんて非常識な奴だな。何の用だ？」

鷹央が不機嫌な声で訊ねる。

「……お二人にちょっと話したいことがあるんですよ」

田無署の刑事、成瀬は、陰鬱な声で言った。

「相変わらず、気味の悪い部屋ですねえ」

椅子に座った成瀬は、〝本の樹〟が乱立する薄暗い部屋を見回す。

「なんだお前、私の部屋に文句つけに来たのか？」

僕と並んでソファーに腰掛けた鷹央は、対面に座る成瀬を睨みつけた。

今日の昼間、談話室ですれ違う際、成瀬は僕に耳打ちしてきた。「今晩零時ごろ、天久《あめく》先生の〝家〟に伺います」と。そのため、成瀬を待っていたのだが、この巨漢の刑事がなんのためにここにやってきたのか分からなかった。

「そんなことのために、わざわざ来るわけないでしょ。いまは一期ですからね」

「一期？」聞き慣れないセリフに、僕は首をかしげる。

「捜査本部が立ちあがってから、最初の二週間のことだ」

鷹央は左手の人差し指を立てて説明をはじめた。

「事件解決には初動捜査が重要ということで、捜査員たちはその間、捜査本部が置かれている署に泊まり込んで捜査に当たる」

「よくご存じですね」成瀬は皮肉っぽく言う。「そんな状況なんで、他の捜査員に見つからないように抜け出すのは、なかなか大変なんですよ」

「なに恩着せがましく言っているんだ。私はお前に来てほしいなんて、一言も言っていないぞ。ったく、私のおかげでいくつも手柄を上げているくせに、偉そうにしやがって」

鷹央の当てつけに、成瀬の顔が歪む。事実だけに反論できないのだろう。

「……仕方がないでしょう。あなた方を関わらせるなというのが、捜査本部の方針なんですから」

「上の方針だから唯々諾々《いいだくだく》と従うっていうんだな。ご立派なことだ」

鷹央はわざとらしく鼻を鳴らす。

「……下の者が自分勝手に動いたら、組織として成り立たないでしょう」

憎々しげに声を絞り出す成瀬を、鷹央の冷たい視線が射抜いた。

「お前がそれに納得しているなら、好きにすればいい。私が口を出すことじゃないからな。そんなことより、さっさとここに来た理由を答えろ」

成瀬の顔に逡巡の表情が浮かんだ。十数秒黙り込んだあと、成瀬はためらいがちに口を開く。

「もうすぐ、……鴻ノ池舞は逮捕されます」

成瀬が放った衝撃的なセリフに、僕と鷹央は目を剝いた。

「逮捕⁉　いつだ⁉」鷹央はソファーから腰を上げる。

「正確な日付は決まっていませんが、今週末あたりだと思われます」

「なんでですか？　なにか新しい証拠でも出てきたんですか？」

僕も鷹央と同様に腰を浮かした。成瀬は首を横に振る。

「いえ、そんなもの出てきていません。ただ、状況が大きく変わりました」

「どう変わったっていうんです？」

「鴻ノ池舞が退院する。その情報が捜査本部に逮捕を決意させました」

頰を引きつらせる僕の前で、成瀬は淡々と言葉を続けた。

「これまで捜査本部は暗に、鴻ノ池舞を退院させないように病院に要請してきました。第一外科の部長である黒部は、その要請を受け入れてくれていました。しかし黒部が休職し、代わりに第一外科を仕切ることになった戸隠は、鴻ノ池舞を今週末までに退院させると譲りません。病院にいるうちは行動を完全に監視できるが、もし退院されれば監視が甘くなり、証拠を隠滅されるかもしれない。そう判断して、管理官が逮捕状の請求を決定しました」

「そ、それじゃあ」僕は前のめりになりながら言う。「もし、鴻ノ池の退院がとりやめになれば、逮捕はされないんですか」

なんとか戸隠を説得し、退院を延期させることもできるかもしれない。

「いいえ、逮捕状の請求はもう決定事項です。退院しようがしまいが、変更はありません。鴻ノ池舞の病状が悪化して退院不可能な状態になったとしても逮捕状は執行され、彼女は警察病院へと搬送されます。留置場か警察病院、どちらになるかだけの違いです」

「そんな……」僕の口からかすれ声が漏れる。

「これまで逮捕しなかったのは、舞が犯人であるという確たる証拠が見つからなかったからのはずだ。新しい証拠なしに、裁判官が逮捕を認めるというのか」

ソファーに腰を戻した鷹央は、あごを引いて成瀬を睨め上げる。

「たしかに直接的な証拠はありません。しかし、状況証拠から逮捕状の請求は受理されるはず。それが管理官の考えです。その読みに間違いはないでしょう」

「状況証拠とは具体的にはなんだ？」

「鴻ノ池舞の他に、湯浅春哉を殺害できる人物がいないということです。事件当時、第八手術室にいたのは間違いなく鴻ノ池舞と湯浅春哉の二人だけでした」

鷹央の問いに、成瀬は即答した。

「それは間違いないのか？　隠し部屋や通路がある可能性は？」

「鑑識が徹底的に調べましたよ。けれど、あの手術室には隠れられるような場所も、正面の出入り口以外の通路もありませんでした。さらに事件前後の監視カメラの映像もくまなく調べて、人の出入りもすべてチェックしました。そのうえでの結論です。事件が起きたとき、間違いなく第八手術室は密室で、誰も出入りできない状態でした。そして、中にいたのは二人だけです」

はっきりと言い切る成瀬を、鷹央は無言のまま厳しい表情で見つめる。

「逮捕して絞り上げれば、自白を得られる可能性が高い。そしてもし自白が無くても、状況証拠から起訴に持ち込める。管理官はそう踏んでいます」

「……自殺ってことはないのか？」

鷹央は声を絞り出す。先日、自らが否定した自殺の可能性に言及するところを見ると、かなり追い詰められているのだろう。

「どれだけ聞き込みをかけても、湯浅春哉に自殺する理由は見つかりませんでした。事件の翌日の土曜に、ジムでパーソナルトレーニングを受ける予約をしていますし、日曜には地方の小さな学会に行く予定だったようです。新幹線のチケットを予約していました。自殺する人間の行動とは思えません」

成瀬の説明を聞いて、僕はかすかに違和感をおぼえる。大学院を辞めて研究から離れた人間がわざわざ地方の学会に？　まだ基礎研究に未練があったということなのだろうか？

鷹央も僕と同じ疑問を持ったらしく、いぶかしげな表情を浮かべる。

「計画的な自殺ってことはないが、発作的に自殺する人間もいるぞ」

「それにしたって、自分の首をメスで掻っ切りますかね。しかも気管までほぼ完全に切断されていたんですよ。もし百歩譲ってメスで首を切って自殺するにしても、普通医者なら頸動脈だけを切るもんじゃないですか。それなら、出血多量ですぐに意識を失える。気管なんて切ろうとはしないでしょう。そもそも、メスには鴻ノ池舞の指紋がしっかり残されています。彼女が被害者の首を切ったと考えるのは当然だ」

成瀬の正論に、鷹央は黙り込む。

「しかも、首を切られて倒れこんだ湯浅春哉は、鴻ノ池舞に筋弛緩剤を投与しようとしています。自殺なら、あの行動は意味不明です。なんで死ぬ間際に患者を窒息させようとしているんですか？」

「それは、心中を……」鷹央は力なくつぶやく。

「心中が目的なら、筋弛緩剤を投与してから自分の首を切ればいい。順番がおかしい。実際、筋弛緩剤は投与されず、湯浅だけが死亡しています」

成瀬は一度言葉を切ると、背もたれに体重をかけた。

「我々の考えはこうです。鴻ノ池舞は過去の交際のいざこざから、湯浅春哉に恨みを抱いていた。そして、手術が終わり麻酔から醒めたとき、視界に湯浅の顔が入ってきた。朦朧《もうろう》状態だった彼女は、ほとんど無意識のうちにすぐわきの器具台に置かれていたメスを手に取り、湯浅の首を切り裂く。致命傷を受けて倒れこんだ湯浅は、自分がもはや助からないことを悟り、せめてもの反撃をと思って鴻ノ池に筋弛緩剤を投与しようとしたが、途中で力尽きてしまった」

成瀬が口にした事件の概要はかなり強引だったが、それを否定できるだけの材料は僕たちの手にはなかった。

「鴻ノ池舞はいまのストーリーに基づいて起訴され、有罪になる可能性が高い。ただ、麻酔薬の影響により心神喪失状態だったということで、重い罪には問われないでしょう。おそらく執行猶予がつくと思います」成瀬が付け加える。

「それで……」鷹央が硬い声で言う。「結局お前はなんのために、うちに来たんだ？ 舞が逮捕されることを、なんでわざわざ教える」

成瀬の顔に、さきほどを遥《はる》かにしのぐ迷いが浮かぶ。なにかに怯えるように周囲を見回した後、成瀬は声をひそめて言った。

「これから俺が口にすることは……独り言です」

「あ？　なんで他人の家で独り言なんてつぶやくんだよ。気味が悪い」

　鷹央の表情が歪む。

「鷹央先生、本当に独り言ってわけじゃないんですよ。つまりですね……」

　そのあたりの機微を読めない鷹央に、僕は耳打ちで説明をした。僕の話を聞き終えた鷹央は「なるほど」と成瀬を見た。

「本当は伝えたいが、立場的に口には出せないことを、独り言という建前で話して、責任を逃れようとしているってわけか。卑怯《ひきょう》な方法だが、それで納得するなら別に構わないぞ。ほら、さっさとその『独り言』とやらを言って……」

　こわばっていく成瀬の顔を見て、僕は慌てて鷹央の口を手でふさぐ。

「すみません、成瀬さん。これから聞くことは、ここだけの話にしますんで、情報があるのならぜひ教えてください」

　僕ができるだけ下手にでると、成瀬は怒りを吐き出すように大きく深呼吸をした。

「俺は……捜査本部の見解に疑いを持っています」

「舞が犯人ではないと思っているってことか？」

　思い切り爪《つめ》を立てて、口を塞《ふさ》いでいた僕の手を引き剝がした鷹央が訊ねる。

「鴻ノ池舞が犯人かどうかについては、私は分かりません。けれど、様々な違和感から目を背けて、彼女が犯人だと決めつけ、自白によって起訴に持ち込もうという捜査本部の安易な方針。それが正しいとは思えないんですよ」

「様々な違和感って、具体的にはなんだ？」鷹央はすっと目を細める。

「まずは、首から出血する前に被害者が暴れていることです。まるで、誰かと取っ組み合っているかのように。それは監視カメラの映像にも残っています」

それについてはすでに知っている鷹央は、「他には？」と先を促す。

「被害者の首に内出血を認めました。首を強く絞められたと考えられています」

「絞められた？　誰にだ？　指紋は？」

「指紋は発見されませんでしたので、誰に絞められたのかはわかりません。ただ、かなり跡がぶれていてはっきりした形は分かりませんが、それなりに太い指、おそらくは男性の指で絞められたものだということです」

「なら、鴻ノ池が絞めたんじゃない！　他に犯人がいるはずだ。それなのになんで、鴻ノ池を逮捕しようとするんですか⁉」僕は反射的に声を上げてしまう。

「捜査本部は、その内出血の跡は事件よりずっと前につけられたもので、今回の犯行には関係ないと考えています」

「そんな強引な！」

「強引でもそう考えるしかないでしょう！　事件が起こったとき、手術室には被害者と鴻ノ池舞の二人しかいなかった。鴻ノ池舞の他に、被害者を殺害できる人間はいないんです!」

成瀬は一息に言う。その態度からは強い混乱が伝わってきた。おそらく成瀬だけでなく、捜査に当たっている捜査員たちの多くも困惑しているのだろう。だからこそ、強引にでも鴻ノ池の犯行という現実的な解決に持ち込もうとし、多少の矛盾には目をつむっている。

「他にはなにか情報はないのか?」

黙って僕と成瀬のやり取りを聞いていた鷹央が、平板な声でつぶやいた。成瀬は視線を鷹央に移すと、口元に力を込める。その姿からは、捜査情報をこれ以上漏らしてもよいのか迷っている気配が伝わってきた。

「あるならさっさと言え。情報を提供してくれれば、私は絶対に事件の真相を明らかにしてやる。だから、お前が知っていることをすべて教えろ」

成瀬は目を伏せると、ぼそぼそと聞き取りにくい声で話しはじめた。

「湯浅が麻薬を盗んでいたのではないかという疑惑が出ています」

「麻薬を?」僕は思わず聞き返す。

「はい、昨年末に病院に匿名で報告があったらしいです。手術に使っている麻酔の一部が盗まれていると」

「麻酔科医が実際に患者に投与した量より多く使ったと記録に書いて、誤差をちょろまかすってやり方か。まあ、聞かない話ではないな」

鷹央はこめかみをこりこりと掻いた。

大きな手術では痛み刺激によって患者の血圧が上がったりしないよう、術中に麻薬を投与することは珍しくない。麻酔薬により意識がない状態でも、体は痛みに対して反応をするのだ。

麻薬は普段は厳重に管理された金庫に保管され、麻薬施用者免許を持った医師が必要と判断した場合のみ、そこから出されて患者に投与される。さらに使用されずに残った麻薬は速やかに薬剤部に戻され、投与量と残量に誤差がないか確認される。しかし、投与量の記載自体が改竄されていれば、薬剤部としても気づきようがない。

「捜査本部の中では当初、湯浅が麻薬の取引にかかわっていて、それによるトラブルで殺された可能性も検討されました」

「それはないだろ。その方法でちょろまかすことができるのは、ごく微量の麻薬だけだ。売りさばいても大した金になるとは思えない」

鷹央の指摘に、成瀬は頷く。

「ええ、ですから我々は、湯浅が麻薬依存症だったのではないかと疑いました」

「自分で使っていたというわけか。けど、そもそもなんで湯浅が疑われたんだ。匿名の通報では、湯浅を名指ししていたわけではないんだろ?」

「湯浅の周辺に聞き込みをかけたところ、知り合いの何人かが『麻薬依存者の更生施設を探して欲しい』と、湯浅に頼まれていたことが分かったんです。それに、去年の三月ごろから、湯浅の行動がおかしかったと多くの人物が証言しています。急に大学院を辞めたのに、誰一人その理由を聞いてはいませんでした」

「その頃から麻薬に手を出したのかもしれないということか。それで、湯浅の体からは麻薬は検出されたのか？　司法解剖したんだろ」

鷹央が訊ねると、成瀬は首を左右に振った。

「いえ、血液からは麻薬をはじめとする違法薬物は検出されませんでした。他にも、ありとあらゆる毒物も調べましたが陰性でした」

「血液だと最近の使用しか分からないだろ。毛髪を調べて、過去数ヶ月の使用を確認はしなかったのか？」

「麻薬の情報が入ってきたのは、つい最近です。すでに遺体は家族に返されて火葬されていました。数ヶ月前の使用については不明です。ただ、麻酔の記録を調べたところ、湯浅が書いた記録の一部に、投与した麻薬量について改竄した形跡がありました。捜査本部は最近までは麻薬を使用していたのではないかと考えています」

「つまり、もともとは麻薬依存状態だったが、匿名の通報によって監視が厳しくなったのを機に、やめていたということだな」

鷹央があごに手をやるのを見ながら、僕は疑問に思う。

「麻薬って、そんなに簡単にやめられるものですか？」

「手術で使う麻薬は、鎮痛作用を強め耽《たん》美《び》作用を弱めた合成麻薬だ。依存性はあるが、一般的な麻薬に比べれば弱い。強い精神力があればやめることも可能だ」

「そういうものですか……」

しかし、もし湯浅が麻薬中毒だったとしても、事件とどんな関係があるのだろうか？　それが事実だとしても、あの『透明人間の謎』を解く手がかりにはならない。そういえば、辻野は麻薬の盗難疑惑については先日言及しなかったが、知っていたのだろうか？　まあ、知っていたとしても個人の名誉を損なうことなので、おいそれと口にはできないのも当然だ。

そこまで考えたところで、僕は「あっ！」と声を上げる。

「なんだよ、変な声出して」鷹央が横目で視線を送ってきた。

「湯浅の論文ですよ」僕は勢い込んで言う。「あの中で、湯浅は麻薬による幻覚作用について書いていましたよね」

「ああ、それがどうした」

「もしかしたら、湯浅は麻薬を研究に使っていたんじゃないですか？　そして、人間に幻覚が出るような薬を作り出していた」

「小鳥遊先生、もしかしてモニターで事件を目撃していた人たちが幻覚を見ていたって言いたいんですか？　そんなわけないでしょ。みんなが同じ幻覚を見るわけがないし、そもそも、実際に湯浅が一人で暴れている映像が残っているんですよ」

成瀬が呆れ声で言う。

「違いますよ。投与されたのは湯浅本人です。その薬を投与された湯浅は、何かに襲われる幻覚を見て、ひとりで暴れまわった挙句、最後には混乱して自分の首を掻っ切った。それで説明がつくでしょ」

勢い込んでいった僕を、鷹央が冷めた目で見つめてくる。

「説明……つきませんか？」

胸に湧いていた高揚感が、塩をかけられたナメクジのように萎《しお》れていった。

「そんな幻覚剤があるとして、なんで湯浅は自分に投与したんだ？」

「いえ……、それを使うと気持ちがよくて常用していたとか……」

当然の疑問をぶつけられ、僕はしどろもどろになる。

「湯浅の体内からはおかしな薬物は検出されなかったんだぞ」

「いや、それは……。これまでにない物質だから検出されなかったとか……」

苦しい言い訳をする僕の前で、鷹央は大きく肩をすくめた。

「そもそも、それまで正常に麻酔科医の仕事をこなしていたのに、急にそんな激しい幻覚を見ると思うか。そんなことがあるとしたら、直前に幻覚剤を静脈注射した場合くらいだ。ちなみに、湯浅に注射痕はあったのか？」

鷹央は成瀬に水を向ける。

「いえ、ありませんでした。右手の人差し指に小さな切り傷があったくらいです」

成瀬の説明を聞いて、僕は体を小さくする。いい案だと思ったが、見当違いだったようだ。鷹央はため息をつくと、成瀬に向き直る。

「他に情報は？」

「これは確かなことではないんですが、ロッカーに入っていた湯浅のバッグが荒らされた形跡があります。湯浅は几帳面な性格で、机の中などはかなりしっかり整理整頓《せいとん》してあったんですが、バッグの中は文庫本や手帳、筆記用具などが散乱していました。誰かが慌てて何かを探したように」

「ロッカーの鍵はこじ開けられていたのか？」

「いえ、聞いたところによるともともと鍵はかかっていなかったようです。ロッカーには着替えとバッグぐらいしか入れていなくて、貴重品は麻酔科控室のデスクに保管していたらしいですから」

「貴重品が入っていないのに、荒らされたのか？」鷹央は小首をかしげる。

「たしかにそこが不可解なところです。まあ、湯浅がバッグだけ整理していなかった可能性もありますが……」

「湯浅の家宅捜索はしたのか？　麻薬所持の疑いがあるなら、部屋を調べるだろ？」

「もちろん、麻薬だけではなく、湯浅と鴻ノ池の関係を調べるためにも行いたいんですが、まだ出来ていません」成瀬の顔が曇った。

「出来ていない？　なんでだ？」

「湯浅はあくまで被害者です。ですから、裁判所から令状をもらっての強制的な家宅捜索ではなく、遺族の許可を取っての任意の捜索を行う方針でした。しかし、被害者の両親のショックが強く、事件の話に拒否反応を示しているらしくて、許可を出さないんです。ただ、説得は続けていますので、おそらくまもなく捜索できるはずです。ちなみに、鴻ノ池舞の部屋の捜索もまだ出来ていません」

「そっちの方はなんでだ？」

「鴻ノ池舞を容疑者として扱っていいものか、捜査本部も迷っていました。それに、入院中なので、急いで捜索する必要もなかったんです。ただ、退院が近くなってきたので、逮捕と同時に自宅の捜索も行うものと思われます」

成瀬の説明を聞いた鷹央は目を閉じる。新しい情報を頭の中で咀嚼しているのだろう。そんな鷹央を見て、成瀬が巨体を前のめりにした。

「この事件にはなにか裏がある。このまま鴻ノ池舞を逮捕したら、冤罪《えんざい》を生みかねない。そんな予感があるのに、俺にはどうすることもできない」

　成瀬は屈辱に表情を歪める。

「だから天久先生、お願いします。あの手術室で何が起きたのか、教えてください。誰もが納得いくような説明をしてくださいよ」

「……事件前後の映像だ」鷹央はゆっくりと目を開いた。「その映像がないと、『透明人間』の正体を暴けない。必要な情報が足りないんだ」

「……そうですか」

　成瀬は突然立ち上がると、ズボンのポケットに両手を入れ、玄関に向かって歩き出した。

「俺の口から説明できることは、すべて言いました。もうそろそろ戻らないと、他の捜査員に怪しまれます」

「え？　ちょっと待ってください」

　僕が慌てて声をかけるが、成瀬はその声が聞こえていないかのようにポケットから右手を出し、ドアノブを摑んだ。その時、ポケットから何かがこぼれて、軽い音を立てながら床で跳ねた。

「あっ、なにか落としましたよ」

　僕が声をかけるが、成瀬が振り返ることはなかった。

「気のせいじゃないですか？　それでは、お邪魔しました」

扉を開いた成瀬が外に出る。すぐに、扉の閉まる重い音が部屋に響いた。

いったいどうしたっていうんだ？　僕が呆然としていると、鷹央が小走りに玄関に近づいていった。〝本の樹〟の陰でしゃがみこんだ鷹央は、すぐに立ち上がると今度はパソコンが置かれたデスクに向かう。

「鷹央先生、なにやっているんですか？」

僕は立ち並ぶ〝本の樹〟を避けながら部屋を横切り、パソコンを操作する鷹央の後ろからディスプレイを覗き込む。

「成瀬の奴、なかなか粋《いき》な『落とし物』をしていったぞ」

鷹央は振り返ると、パソコンに接続されている小さな機器、ＵＳＢメモリーを指さし、マウスを操作した。

「あっ……」僕の口が半開きになる。

ディスプレイに第八手術室の、あの悲惨な事件が起きた現場の映像が映し出された。

「ここからだな……」

三面鏡のように並んだディスプレイを見つめながら鷹央がつぶやく。正面のディスプレイには血だまりの中に倒れる湯浅春哉の姿が映し出されていた。

成瀬が落としていったUSBメモリーには、鷹央が欲していた、事件前後も合わせた清和総合病院手術部の監視カメラ映像のデータが入っていた。

警察が保管しているデータを成瀬がコピーして持ち出したのだろう。もしこれを渡したことが明るみに出れば、成瀬は重い罰を受けることになるはずだ。そのリスクを冒してまで、成瀬は今回の事件の真相が明らかになることを望んだ。その心意気に、身が引き締まる思いだった。

僕は緊張しつつ、画面に意識を集中させる。

正面のディスプレイでは戸隠が心臓マッサージを行い、水無月《みなづき》が首の傷口を押さえていた。廊下から救急カートを持ってきた辻野が、八巻とともに点滴ラインの確保を開始する。入り口近くに立つ野乃花は、内線電話の受話器を手にしている。おそらくスタットコールを要請しているのだろう。

左側のディスプレイに映る第七手術室では、死角から黒部が姿を現し、また手術記録を片手に徘徊をはじめていた。やがて黒部がはっと顔を上げる。スタットコールが全館放送されたのだろう。黒部はきょろきょろ周囲を見回した後、第七手術室を出て第八手術室の扉の前まで移動したところで、中の惨状を見て硬直する。

野乃花が水無月に何か声をかけられる。慌てて倒れている麻酔用のカートに駆け寄った野乃花は、そこから喉頭鏡と気管内チューブを取り出し、水無月の隣に移動した。

首筋を押さえていた水無月は近づいて来た野乃花とともに、気道確保のために気管内チューブの挿管を開始する。その間、戸隠は心臓マッサージを続け、辻野は点滴ラインの側管から、せわしなく薬剤を打ち続けている。おそらく、アドレナリンなどの蘇生《そせい》に必要な薬を投与しているのだろう。

水無月は野乃花が手渡した喉頭鏡を湯浅の口に差し込みつつ、気管内チューブを挿入していく。しかし、口腔内の血液でチューブを差し込むべき声門をしっかり確認できないのか、苦労している様子が見て取れた。

そうしているうちに、スタットコールを聞いた医師たちが次々に駆けつけてきて、入り口で立ち尽くしている黒部を押しのけ、手術室の中に入っていく。すぐに医師たちの人垣が出来上がり、湯浅の姿が見えなくなってしまった。

鷹央がマウスを操作して映像を止める。僕は息苦しさをおぼえて、大きく深呼吸をした。

鷹央は椅子の背もたれに体重をかけると腕を組み、瞼を落とす。鷹央の思考を邪魔しないように、僕は無言のままその横顔を眺め続けた。

数分は経っただろうか、鷹央の瞼が上がった。その顔に、普段見ることのないような険しい表情が浮かんでいく。

「鷹央先生、なにか分かりましたか？」

不吉な予感をおぼえつつ僕が訊ねると、鷹央はゆっくりと口を開いた。

「……舞から目を離さないようにしろ」

「え？　どういうことですか？」

鷹央はゆっくりと首を回し、猫を彷彿させる大きな目で僕を見つめた。

「舞の身に危険が迫っている」

4

いったい、鴻ノ池にどんな危険があるというのだろう？

鷹央の不吉な予言から一日半が経った木曜の昼、僕は清和総合病院の二階にある外科の医局で、昼食のサンドイッチを食べていた。

あの夜、僕は何度も「鴻ノ池になにがあるっていうんですか？」と訊ねたが、最後まで鷹央が答えることはなかった。秘密主義はいつものことだが、最低限の情報は与えてくれてもいいじゃないか。具体的にどんな危険があるか分かれば、こちらだって対応のしようがあるというのに。

……けどまあ、問題はないか。僕はサンドイッチを飲み込む。いまも鴻ノ池の病室の前には、二十四時間体制で刑事が張り付いている。鴻ノ池に危害を加えようとしている者がいても、彼らが見張っている限り大丈夫だろう。

「あの、小鳥遊先生……」

声をかけられ振り返ると、いつの間にか八巻が背後に立っていた。

「ああ、八巻君。エコーは終わったの？」

午前中、八巻は腹部エコーの当番に当たっていた。八巻は小さく頷くと、羆のような巨体を小さくする。

「はい、終わりました……。あの、小鳥遊先生。朝はすみませんでした」

「ああ、採血のこと？　気にしなくていいよ」

この外科病棟では、毎朝の採血を研修医や八巻が順番に担当している。しかし今日は八巻が採血時間に遅刻し、他の研修医も自分たちの仕事で手が離せなかったため、代わりに僕が採血して回っていた。

採血が終わった頃に慌ててナースステーションにやってきた八巻は、「すみません、あとは俺がやります！」と、業務を引き継いだ。

まあ、今日は鴻ノ池の血液検査も入っていたので、採血をしにいったついでに様子を見ることもできて、ちょうどよかった。

半分軟禁され、警察に細かく尋問される生活が続いているせいか、鴻ノ池は「今日はあまり体調良くないんですよね」と言いつつも笑顔を見せた。

勘のいい鴻ノ池のことだ。警察が自分の逮捕に動いている気配を、きっと感じ取っているはずだ。それでも笑顔を見せたのは、僕を心配させないためだろう。

まったくタフなやつだ。自然に口元が緩んでしまう。あいつの陽性の性格とタフさは、臨床医をやっていくうえで役に立つはずだ。きっといいドクターになる。そのためにも、早くあいつにかかった疑いを晴らさなければ。

「小鳥遊先生、どうかしましたか？」

物思いに耽《ふけ》っていた僕は、訝しげな八巻の声で我に返る。

「あ、いや、何でもないよ。それより、朝はどうしたの？　遅刻なんて珍しいね」

「いえ、……道が渋滞していて」八巻は露骨に目を逸らす。

「え？　八巻君って、病院まで徒歩で通勤していなかったっけ？」

「……そうなんですけど、今日はちょっと用事があって」

歯切れの悪い八巻を見て、僕は眉根を寄せる。僕の疑わしげな視線から逃げるように、八巻は身を翻して自分のデスクに向かった。

なにか隠している。僕は確信する。鷹央や鴻ノ池に「嘘が下手」「すぐ顔に出る」と小馬鹿にされる僕だが、八巻はそんな僕よりもはるかに嘘が下手だ。

八巻を問い詰めようと、僕が椅子から腰を浮かしかけたとき、白衣のポケットから安っぽい電子音で『イッツ・ア・スモールワールド』の旋律が響いた。

僕はポケットから院内携帯を取り出すと通話ボタンを押して耳に当てる。

「はい、小鳥遊ですが」

「こちら、中央検査部です」

「検体に不備がありましたか？　再検査が必要ですか？」

中央検査部とはその名の通り、院内全体の様々な検査を担当する部署だ。病棟で採取した検体などは中央検査部に送られ、そこで検査される。血液検体が凝固してデータが取れない場合など、再検査の指示をしてくることがあった。

「いえ、アラートです」

その言葉を聞いて、体に緊張が走る。すぐに対処しないと致命的になるような異常な検査データが出た場合、その検査をオーダーした医師に緊急連絡が入る。それが『アラート』だった。

「患者は誰ですか？」

「鴻ノ池舞さんです！　彼女のデータを至急確認してください！」

僕の手から滑り落ちた携帯電話が、乾いた音を立てて床で跳ねた。

なんなんだ、これは⁉　ナースステーションで僕は髪を掻き乱す。時刻は午後三時前、中央検査部から連絡があってから、すでに二時間以上が経っていた。

アラートを受けてすぐに鴻ノ池の検査データを確認した僕は、ディスプレイに映し出された数字に目を疑った。強い肝障害があり、腎機能の低下も見て取れる。さらに白血球数や炎症所見を示す値も、異常な高値となっていた。

体の中で強い炎症が起こり、多臓器不全を起こしかけている。それがデータから読み取れる病状だった。

あまりにも異常な事態に、検体の取り違えを疑い、八巻に指示をして再検査も行った。しかし、やはり同様のデータが上がってきた。

最初、僕は縫合不全を疑った。虫垂切除部の縫合が不十分で、腸内から内容物が腹腔内に漏れ、それによって腹膜炎を起こしていると。しかし、慌てて鴻ノ池の病室に行き診察を行ったが、反跳痛や筋性防御などの腹膜炎で見られるような所見は認められなかった。その代り、鴻ノ池は「朝から体がだるくて吐き気がひどい。寒気とめまいがする」と、顔を歪めながら訴えた。

画像検査をすれば、何が起きているのかわかる。これだけ激烈な症状が起きていれば、その原因は必ずCTやエコーで確認できる。そう思っていた。しかし、映し出された画像にはなんの異常も発見できなかった。念のため放射線科医にも確認してもらったが、結果は同じだった。

縫合不全なら、再手術をすることで治療ができる。しかし、原因不明ではどう対処していいか分からない。すでに輸液と抗生物質の投与を開始しているが、それが正しい治療なのかもわからなかった。

「小鳥遊先生、……どうしましょう?」

僕の背後に立ってディスプレイに映るCT画像を見ていた八巻が、おずおずと訊ねてくる。しかし、僕は答えられなかった。

戸隠は午後二時から、第二外科の医師を助手にして、胃全摘の手術を行っている。少なくともあと二時間は病棟に戻ってこられない。黒部と戸隠がいないいま、第一外科の責任者は僕ということになる。僕が鴻ノ池の治療について決定しなければいけないのだ。

昨日まで、鴻ノ池の全身状態に異常は見られなかった。病状は常識外れのスピードで悪化している。このまま適切な治療が施せなければ、最悪の場合……。

脳内に浮かんだ恐ろしい想像を、僕は頭を振って追い払う。いまは鴻ノ池の体に何が起こっているのかだけを考えなくては。

少なくとも、画像では局所で強い炎症が起こっている所見はなかった。にもかかわらず、血液データがあそこまで悪化している。全身でまんべんなく炎症が起きているということだ。そうなると、敗血症か?

血液が細菌によって汚染される敗血症では、全身の臓器に炎症が波及し、重篤な状態に陥る。それなら検査結果にも矛盾しない。しかし、敗血症は通常、肺炎や腹膜炎などの、局所の重症感染症がベースに存在する患者や、糖尿病や老齢により免疫力が弱まった患者に起こる。若く、しかも局所の感染巣が認められない鴻ノ池が敗血症になるなど、普通なら考えにくい。

もし敗血症なら、抗生剤の投与が何より重要だ。それはすでに開始している。問題は、原因が敗血症ではなかった場合だ。僕は脳に鞭《むち》を入れる。

頭の中に様々な疾患が浮かんでは消えていく。どれも、鴻ノ池の体に起きている症状にぴたりとは当てはまらない。

もし、疾患じゃなかったら……。

疾患でなく全身状態を悪化させるもの。……毒。

「舞から目を離さないようにしろ」「舞の身に危険が迫っている」

鷹央から聞いたセリフが脳裏に蘇る。

誰かが鴻ノ池に毒を盛ったのではないだろうか？　そして、その毒のせいで鴻ノ池の全身で炎症が起きている？　だとしたら、誰がそんなことを？

決まっている、犯人だ。先々週の金曜、第八手術室で湯浅春哉を殺した犯人が、なぜかは分からないが鴻ノ池の命も奪おうとしている。

けれど……。僕は口元に手を当てる。鴻ノ池の病室の前には、常に刑事がいた。部外者が侵入して毒物を投与するなど、できるわけがない。

犯人は部外者じゃない？

背筋に冷たい震えが走る。病棟の看護師や第一外科の医師なら、疑われることなく鴻ノ池の病室に入ることができる。それに該当するのは、約二十人のこの病棟の看護師と、戸隠、僕、外科を回っている研修医、そして……。

僕は首の関節が錆《さ》びついたような動きで振り返って、八巻を見る。

今朝、この男はなぜか遅刻をしてきた。そして、その理由を訊ねると、露骨に不審な態度を取った。まさか、この男が鴻ノ池に毒を盛ったのか？

「どうかしました？」八巻は訝しげに言う。

「いや、……なんでもない」

「そうですか。……あの、俺ちょっと鴻ノ池さんの様子見てきますね」

僕のただならぬ気配に怯えたのか、八巻は廊下に向かって歩き出した。

「ダメだ！」僕は声を張り上げる。

「え？　ダメって……」

「君は手術室に行って、戸隠先生の手術の進み具合を見てきてくれ」

「え、そんなの内線電話で確認すれば……」

「いいから行くんだ！」

僕が声を荒らげると、八巻は不満顔でナースステーションを出て行った。八巻がエレベーターに乗り込むのを見て、僕は小さく息を吐く。あの男を鴻ノ池に接触させてはいけない。いや、あの男だけじゃない。いまや、鴻ノ池の病室に出入りできた全員が怪しかった。この病棟の職員全員が。

どうすればいい？　唇を噛む僕の脳裏に一人の女性の姿が浮かんだ。若草色の手術着の上に白衣を羽織った、童顔の天才医師の姿が。

僕はすぐわきにあった電話の受話器を取り上げると、外線にして電話番号を打ち込んでいく。コール音が響くとすぐに、回線は繋がった。

「鷹央先生ですか！　小鳥遊です！」

「おお、小鳥か。どうかしたか？」

「鴻ノ池に大変なことが起こったんです！　実は……」

僕は今日起こったことを説明していく。

「……というわけなんです。治療するにも、なんの毒物が使われたか分からなくて、どうすればいいか。そもそも、毒が使われたという確証もないし」

僕は焦りで舌を縺《もつ》れさせながら説明を終える。数秒の沈黙のあと、受話器から鷹央の声が聞こえてきた。

「……ＩＣＵに入れろ」

「え？　ＩＣＵですか？」

「そうだ。ＩＣＵに入れて集中治療をするんだ」

「でも、基本的に外科でＩＣＵに入るのは、大きな手術後の患者ぐらいで……」

「いま、舞は危険な状態だ。病状も、そして置かれた状況もな。ＩＣＵで全身状態を管理しつつ、外科病棟から避難させろ。さもないと……舞は死ぬぞ」

僕は息を呑み、言葉を失う。

「いいか、小鳥。どんなことをしても絶対に舞をＩＣＵに入れるんだ。あの辻野とかいう麻酔科部長に頼み込め。ＩＣＵは麻酔科の管理だからな。あいつはなかなか話が分かる奴だった。きっと承諾してくれるはずだ」

「は、はい！」僕は上ずった声で答える。

「頼んだぞ。舞の命運はお前にかかっているんだからな」

重量感のある鷹央の声が、僕の鼓膜を揺らした。


本当に大丈夫なのだろうか？　医局にある自分のデスクを、僕は指先でコツコツと叩く。緊張でさっきから喉元に息苦しさがわだかまっている。

腕時計を見ると、時刻は午後十一時を回っていた。つい三十分ほど前まで、僕はＩＣＵで鴻ノ池の様子を見ていた。

数時間前、鷹央に指示されたとおりに鴻ノ池のICU入室を辻野に頼み込んだ。厳しい表情で鴻ノ池の検査データに目を通した辻野は、「すぐにICUに運んで」と転床を許可してくれた。

そうして鴻ノ池をICUへと移したあと、僕は再び鷹央に連絡をし、行うべき処置を訊ね、それを実行した。

僕は顔を上げ、医局を見回す。深夜だけあって、すでに医師たちの姿は少なかった。戸隠もすでに帰宅している。少し離れたデスクにいる羆のような男に、僕は視線を向ける。今日の外科当直に当たっている八巻も、僕と同じように緊張をはらんだ表情で、ずっと自分のデスクに待機していた。

いつまでこうしていればいいのだろう。僕が重いため息をついた瞬間、安っぽい電子音で奏でられる『イッツ・ア・スモールワールド』の旋律が辺りに響いた。僕は白衣のポケットから素早く携帯を取り出すと、通話ボタンを押す。

「はい、小鳥遊です」

『すぐにICUに来てください！　鴻ノ池さんが大変なんです！』

切羽詰まった声が携帯から響いた。僕は勢いよく椅子から立ち上がり、走って医局の出入り口に向かう。僕の行動に気づいた八巻も、すぐに席を立った。

医局を出た僕は、すぐわきにある非常階段をICUのある四階まで駆けあがった。

背後から、八巻がついてくる足音が響く。四階に着き、首から下げた職員証をカードリーダーにかざして自動扉を開けた僕は、中へと飛び込む。

「なにがあったんだ⁉」

ＩＣＵ内に入った僕は、声を張り上げる。部屋の一番奥に置かれたベッドだけ、周りを取り囲むカーテンが開いていた。そのベッド上では目を閉じた鴻ノ池が横たわり、傍らに一人の看護師、秋津野乃花が立っている。

「鴻ノ池さんが急変したんです！」

野乃花が叫ぶ。僕は目を剝くと、八巻とともにベッドに駆け寄った。ベッドの傍らでアラームを鳴り響かせているモニターに視線を向ける。そこに表示されている心電図は一本の線と化していた。僕は顔を歪める。

「なんで急にこんなことに⁉」

「わかりません！　さっきまで安定していたのに！」

僕が怒鳴ると、野乃花はいまにも泣きそうな表情で答えた。

僕は鴻ノ池の首筋に手を添えて脈を確認する。

「脈がない、心停止している！　蘇生処置を！」

野乃花は慌てて救急カートを引っ張ってくると、ベッドの周囲のカーテンを閉めた。八巻はカートの中から、蘇生に必要な機材を取り出していく。

僕は鴻ノ池の体にかかっている毛布を剝ぎ取ると、ベッドの上に膝を載せ、鴻ノ池の胸骨の上に両手を重ねて心臓マッサージを開始する。

「アドレナリンとアトロピンを静注して！」

僕の指示に、野乃花は「はい！」と点滴ラインの側管から薬剤を投与した。

僕たちは顔を紅潮させながら、ただ必死にするべきことをし続ける。しかし、モニターに表示される心電図に心拍の波動が戻ることはなかった。

「……三十分経ちました」

ストップウォッチを持つ野乃花が、静かに言う。僕は鴻ノ池の胸部に置いていた両手をゆっくりと引いた。心電図のモニターには、やはりまっすぐな線が延びているだけだった。

僕は唇を嚙みながらベッドから降りる。野乃花がモニターの電源を落とした。あたりに響き渡っていたアラームが消える。

ベッドに横たわる鴻ノ池の横顔に視線を向ける。目を閉じている鴻ノ池の表情は穏やかで、眠っているようだった。

僕は両手の拳を握りしめると、喉の奥から声を絞り出した。

「……死亡確認をしよう」

5

狭い部屋の中、椅子に深く腰掛けた人物は、ゆっくりと天井を仰いだ。その口元には、満足げな笑みが浮かんでいる。

その人物は姿勢を戻すと、壁を覆い尽くすように置かれている本棚に視線を向けた。椅子から立ち上がったその人物は、本棚の前まで移動するとひざまずいて、一番下の棚にある分厚い辞書を取り出した。

その人物は辞書をデスク上に置いて開く。ページが中心辺りでえぐり取られ、そこには、液体の入ったアンプルが収められていた。

辞書からアンプルを取り出したその人物は、デスクの抽斗《ひきだし》から袋入りの一ミリリットル注射器を取り出した。袋を破くとゴム製になっているアンプルの上面に注射針を突き刺し、中の液体を吸い出す。続いて自分の腕にゴム製の駆血帯を巻いて静脈を浮き上がらせ、注射針を刺した。注射器に入っていた液体を静脈にゆっくり流し込んだその人物は、駆血帯を外すと大きく息をついて目を閉じた。その顔に恍惚《こうこつ》の表情が浮かぶ。

「よしっ、行くぞ！」

モニターを眺めていた鷹央が声を張り上げる。それを合図に、僕たちは動き出した。白衣をはためかせる鷹央を先頭に、成瀬と迫の二人の刑事と僕たちが外に出る。廊下を走った僕たちは数メートル先の扉を開き、部屋の中に入った。

大股に部屋を進んだ先頭の鷹央が、奥の部屋に通じる扉のノブに手を伸ばし、振り返った。僕たちは大きく頷く。鷹央は勢いよく扉を開いた。

「なっ、なに⁉」

小さな部屋で幸福に浸っていた人物は、悲鳴のような声を上げながら振り返る。鷹央は若草色の手術着に包まれた胸を反らすと、つかつかとその人物の目の前まで移動した。

「チェックメイトだ。もう逃げられないぞ。お前こそが『透明人間』の正体、湯浅春哉を殺した犯人だ」

鷹央に指さされた人物、清和総合病院麻酔科部長である辻野咲江《さきえ》の表情が、炎にあぶられた飴《あめ》細工のようにぐにゃりと歪んだ。

＊

「ほれ、なにぼーっとしているんだよ。こいつが持っている注射器とアンプルを回収しろ。証拠品だろ」

振り返った鷹央が、成瀬と迫に言う。辻野は「ひっ」と悲鳴を漏らすと、デスクの上に置いてあったアンプルに手を伸ばした。しかし、素早く近づいた成瀬に手首を掴まれ、動けなくなる。僕は八巻と野乃花とともに、入り口辺りでその光景を眺めていた。

「辻野先生、申し訳ありませんが、その中身を確認させていただきます」

成瀬が押し殺した声で言う。手袋をはめた迫は、アンプルを証拠保管用の小さなビニール袋に入れてポケットにしまうと、ポケットから文庫本サイズの箱を取り出した。

「これは違法薬物の簡易検査キットです。注射器の中の液体を検査します」

慇懃に言った迫は、箱の中からプレートや薬剤を取り出した。

迫は細長いプレートの上に、注射器にわずかに残っていた液体を一滴落とすと、それに薬剤を加えていく。数十秒後、プレートを見つめていた迫が顔を上げる。プレートにある複数のくぼみの一つが変色していた。

「麻薬で陽性反応が出ました。辻野先生、あなたを麻薬取締法違反の現行犯で逮捕……」

「ちょっと待って！」

辻野は金切り声を上げて迫のセリフを遮る。

「たしかにそれは、手術用の合成麻薬よ。けれど、ここがどこだと思っているの。病院の手術部よ。麻薬があるのは当たり前でしょ！」

　嚙みつくように言う辻野を前に、迫は苦笑を浮かべる。

「残念ですけど辻野先生、そういうわけにはいかないんですよ」

「そういうわけにはいかない？」辻野はたどたどしく、迫の言葉を繰り返す。

「そうだ、私たちは監視していたんだ。お前が自分に麻薬を打つシーンをな」

　嬉々として言う鷹央に、辻野は目を見張った。

　そう、僕たちは二時間ほど前の深夜零時ごろから、手術部の端にある標本作成室（手術で切り取った臓器を標本にして調べるための部屋）にこもり、この麻酔科部長室をモニターで監視し続けていた。夜間は使用されない標本作成室は、誰にも気づかれずに監視を続けるには、おあつらえ向きの場所だった。

　口を半開きにしたまま、辻野は部屋中に視線を彷徨わせる。

「ん？　カメラを探しているのか？　それだよ。半日ほど前、お前が大きな手術の担当をしているとき、この部屋に仕掛けておいたんだ」

　鷹央は本棚の最上段に並んでいる本の間を指さす。そこに注意しなければ気づかないほどの、小さな隠しカメラがセットされていた。

「ふざけないで！　ここは私の部屋よ。誰の許可でこんなことを⁉」

「院長の袴田《はかまだ》が許可してくれたぞ」間髪いれずに鷹央は答える。

「院長が……？」辻野は唖然として言葉を失った。

「ああ、そうだ。私がどうしても必要だと説得したらＯＫを出してくれた。というわけでお前は終わりだ。お前は麻薬をちょろまかして自分に使用し、さらに湯浅春哉を殺害し、そして三時間前には……舞まで殺した」

あごを引いた鷹央は、辻野を睨め上げた。

「ちょ、ちょっと待って！」辻野は目を剝く。「麻薬はともかく、殺したってどういうことなのよ？　舞って、さっきＩＣＵで亡くなった患者でしょ。彼女と湯浅君を私が殺したとでも言うわけ？」

「ああ、その通りだ」鷹央は大きく頷いた。

「何言っているのよ、あの患者は病死でしょ。それに、湯浅君はあの患者に殺されたのよ。そうとしか考えられない！」

辻野がまくしたてると、鷹央は皮肉っぽく唇の端を上げた。

「おや？　この前は、舞が犯人のわけがない。麻酔から醒めたばかりの患者に、そんなことできないって言っていなかったか？」

「そ、それは……」辻野は助けを求めるように、左右を見回す。「でも、だからって私が犯人のわけないじゃない。湯浅君が殺されたとき、私はそこにいる八巻君や戸隠先生と一緒に、麻酔科控室にいたのよ！」

たしかにその通りだ。辻野が口にした内容は、この数時間、ずっと僕が疑問に思っていたものだった。

今回の計画の説明をする際、鷹央は辻野が殺人犯であること、麻薬依存症で、おそらく部屋に麻薬を隠し持っていることしか教えてくれなかった。迫とともに鷹央に呼び出された成瀬など、「そんな説明じゃ協力できない！」と怒り、帰ろうとさえした。しかし、ペアを組む迫に「まあ、せっかくだから、噂の天久先生のお手並み拝見といこうじゃないか」と諭され、踏みとどまっていた。

「天久先生、辻野先生のおっしゃることはもっともです。湯浅春哉さんが殺された時刻、辻野先生のアリバイははっきりしている。その状態でどうやって離れた手術室にいる湯浅先生の首を切ったのか、そろそろ教えてもらえませんかね」

迫が訊ねると、鷹央は少し考えたあと、こめかみを掻く。

「そうだな。麻薬も押さえたし、そろそろ種明かしといくか」

鷹央のつぶやきで部屋に緊張が走った。この不可解な事件の真相が、ついに明かされる。

「まず、この病院の手術部では二回、まるで『透明人間』によるものかのような怪奇現象が起きている。一つは先々週に起こった、湯浅春哉の殺害。そしてもう一つは去年の十二月に第八手術室の前で起きた怪奇現象だ。そこまではいいな」

鷹央は部屋にいる人々の顔を見回した。

「この二つの『透明人間』の目撃には、大きな違いがある。先々週の事件に関しては、モニター越しに四人もの人間が同時に目撃し、さらに映像データが残っている。しかし、去年の十二月の事件では、目撃者はたった二人だけだってことだ。さて、ここで質問だ」

鷹央は成瀬に視線を向ける。

「もし十二月に怪奇現象を目撃したのが一人だけだったら、どうなっていたと思う？」

「そりゃあ、見間違えだと思われるんじゃ……」成瀬は鼻の付け根にしわを寄せた。

「そうだ！」鷹央は両手を合わせる。「怪奇現象を目撃したのが、一人ではなく二人だったからこそ、それが実際に起きたと認識されたんだ。しかし、ここに『麻薬』というキーワードが加わると、見えてくる状況は一変する」

鷹央は横目で辻野を見た。辻野は目を伏せる。

「この病院では、誰かが記録を改竄して、手術で使用する麻薬の一部を手に入れていた。湯浅春哉の記録に改竄の痕跡が見つかったので、警察は湯浅が麻薬を盗んで使用していたと疑っていたが、司法解剖の結果、湯浅の体内から麻薬は検出されなかった」

「それがどうしたっていうの。去年の十二月、私と湯浅君が第八手術室の前で『透明人間』を見たのは間違いないのよ！」

辻野が声を上ずらせながら、噛みつくように叫ぶ。

「いや、違うな」鷹央はにやりと笑った。「『透明人間』を見たのはお前だけだ。いや、『見た』というのも正確じゃない、それは麻薬を打って朦朧状態になったお前の幻覚だったんだからな」

「麻薬の幻覚？」

迫が驚きの声を上げる。鷹央は得意顔で大きく頷いた。

「ああ、麻薬は脳に影響を与え、様々な幻覚を引き起こすことがある。去年の十二月の深夜、こいつはこの部屋で麻薬を打った。しかし、普段より多く麻薬を摂取したのか、それとも体調の問題で効きすぎたのか、異常にハイになってしまい、廊下に出て徘徊しはじめた。そして、手術室がある廊下に行ったところで、第八手術室の前で救急カートがひとりでに動いたり、黒い影が襲ってきたような幻覚を見て悲鳴を上げたんだ。バッドトリップってやつだな。その悲鳴を、麻酔科当直医として手術室の巡回をしていた湯浅が聞き、辻野の元に駆けつけたんだ」

「ちょっと待ってくださいよ」成瀬が鷹央の言葉を遮った。「それはおかしいでしょ。湯浅春哉は警備員に、辻野先生と同じものを見たと証言しているんですよ。怪奇現象が幻覚なら、なんで湯浅も同じものを見ているんですか？」

「湯浅は見ていないぞ」

「見ていない？」

「そうだ。幻覚を見てパニック状態になっている辻野を見て、湯浅はすぐに気づいたんだ。麻薬が原因の錯乱状態だと。もしかしたら、もともと辻野の麻薬使用を疑っていたのかもな。そのとき、騒ぎを聞きつけた警備員がやってきた」

鷹央はそこで言葉を切って辻野を見る。

「もし、怪奇現象を見たと言って騒いでいるのが一人だけなら、警備員だって気づいたはずだ。この女が錯乱状態に陥っていると。そしておそらく、救急部あたりに連絡され、最終的には麻薬が原因だと気づかれる。違法薬物の使用がばれた医師の末路は悲惨だ。刑事罰を受けるだけでなく、当然、医師免許も剝奪される。だからこそ、とっさに湯浅は『自分も同じ怪奇現象を見た』と警備員に言ったんだ。そうすれば、辻野の麻薬使用を誤魔化すことができる。こうして湯浅は、世話になっている辻野を救い、その代わりに一つの怪談が生まれたんだ」

理路整然とした説明を聞いて納得する一方、僕の頭に小さな疑問が浮かんだ。

「それなら、辻野先生にとって湯浅春哉は恩人ということになるじゃないですか。それなのに、なんで殺そうとかそういう話になるんですか？」

「脊髄《せきずい》反射で質問しないで、少しは自分の脳みそ使えよ。そんなの考えればすぐに分かるだろ。去年の年末、病院に匿名で手術用麻薬が内部の人間によって盗まれているっていう通報があったんだぞ」鷹央は鼻を鳴らす。

「あっ！　もしかしてそれって……」僕は目を見開いた。

「そうだ、湯浅だよ。大学の先輩であり、上司でもある辻野をどうにか、社会的にダメージなく、麻薬依存症から更生させたかったんだ。だからこそ、麻薬更生施設を調べてもいた。しかし、依存性が比較的低い合成麻薬とはいえ、長い間使用していた者がやめるのは生半可なことじゃない。辻野は麻薬を使用し続け、それどころか湯浅が麻薬を盗んでいるかのように、記録の改竄をはじめた。それに気づいた湯浅は、もし麻薬をやめないなら告発すると辻野に警告する。しかし、強い依存状態に陥っていた辻野にとって、麻薬をやめることなど到底不可能だった。だからこそ、辻野は最終手段に出ることを決めた」

「湯浅の口封じ……」

僕が声をひそめてつぶやくと、鷹央は「そうだ」と快活に言った。

「ちょっと、勝手に話を進めないでよ！　あなたが言った話は単なる推論で、何の証拠もないじゃない！」

辻野が甲高い声を上げる。鷹央は皮肉っぽく鼻を鳴らした。

「何言っているんだ。いまお前が自分に投与したその液体が麻薬だった。それは十分な証拠になるだろ」

辻野は頬を引きつらせて言葉に詰まる。

「あの、ちょっと待っていただけますか」迫が口をはさんだ。「たしかに結果的には、辻野先生が麻薬を使用していたのは正解でした。けれど天久先生、あなたはなぜそう思ったのですか？　さっき辻野先生が言ったとおり、もともとそんな証拠はなかったはずだ」

「そんなの簡単だ」鷹央は辻野を指さす。「この女が湯浅を殺したからだ。部下である湯浅を殺す理由、何者かに盗まれていた麻薬、そして去年の十二月に目撃されていた怪奇現象。それらを総合的に考えれば、麻薬使用を隠すために湯浅の口を封じたのは明白だ」

「え？　ということは……」迫は頭に手を当てる。「あなたは麻薬の件より先に、湯浅春哉殺害の真相に気づいたということですか？」

「そうだ。私が一連の事件の全容に気づいたきっかけは、この辻野咲江こそ先々週の金曜、第八手術室で起きた『透明人間による殺人事件』の犯人だと分かったからだ」

鷹央は胸を張ると、朗々と言う。

「なに言っているの！　私は事件のとき、麻酔科控室にいたって言っているじゃない！　ちゃんと証人もいる。なんで私が犯人なのよ」

鷹央に食ってかかろうとする辻野を、すぐそばに立つ成瀬が止めた。鷹央は辻野の正面に移動すると、くいっとあごを反らした。

「お前が犯人だということは、事件の映像を見てすぐに分かった」

「映像を見て？　我々も繰り返し映像は確認しましたが、犯人を示すような証拠はなにもなかったはずです。いったいどのシーンで犯人が分かるっていうんですか？」

迫は首をひねる。

「異常に気づいた四人の医師が第八手術室に駆けつけたときだ。あのとき一人だけ、明らかにおかしな行動を取っている人物がいるんだよ」

迫が「おかしな行動……」とつぶやく横で、成瀬が硬い表情で口を開く。

「そんなはずない。医者が駆けつけた後の映像も、俺たちは徹底的に調べたんだ。けれど、怪しい動きをした人物はいなかった」

「まあ、警察が分からなかったのも仕方がないさ。医療についてはは素人なんだからな。ただ、医療的には明らかにおかしな行動が、あの映像には映っていたんだよ」

そこで言葉を切った鷹央は、辻野の目をまっすぐにのぞき込んだ。

「お前だ。お前の行動だけがおかしかった。血まみれで倒れている湯浅春哉を発見したとき、どうしてお前はわざわざ廊下を戻って、救急カートを取りに行ったんだ？」

辻野の表情が露骨にこわばる。それと同時に、僕、八巻、野乃花、この場にいる三人の医療関係者が同時に「あっ！」と声を上げた。

「えっ？　なんですか、皆さん。人が倒れているんですから、救急カートを取りに行くのは当たり前じゃないですか？」

迫が戸惑いの表情を浮かべる。僕は首を左右に振った。

「たしかに、一般的な病室などで急変があった時は救急カートが必要です。けれど、あの時は違いました。直前まで第八手術室では手術が行われていた。つまり、手術室の中には全身麻酔用のカートがあったということです」

僕の説明に、鷹央は満足げに頷いた。

「そうだ。全身麻酔用のカートの中には、蘇生に必要な薬剤や器材がすべてそろっている。麻酔科医の仕事は、手術中の患者の全身状態を安定させること、そして万が一急変したときには、すぐに対処することだからな。つまり、部下が大量出血して瀕死の状態だというのに、この女はわざわざ必要ないはずの救急カートを取りに廊下を戻ったんだ」

鷹央は挑発的な視線を辻野に注ぐ。

「さて、説明してもらおうか。一刻を争う事態だというのに、なんでお前はわざわざ十字路の近くまで廊下を戻って、救急カートを取ってきた？　そもそも、手術部の廊下に救急カートを置くのは、手術後にＩＣＵやリカバリーエリアに運ばれる患者が、廊下で急変した場合に備えてだ。何でそれを取りに戻った？」

「あ、あの時は混乱していたのよ！　たしかに、いま考えれば手術室内のカートを使えばよかったかもしれない。けど、倒れている湯浅君を見て訳が分からなくなって……」

「混乱？　十五年も麻酔科医をやってきて、何度も修羅場をくぐってきたお前が？」

鷹央は小馬鹿にするように唇をゆがめた。辻野は一瞬言葉に詰まるが、すぐに顔を紅潮させてまくしたてはじめる。

「担当患者が急変するのと、知り合いが首から血を流して倒れているのとじゃ、全然状況が違うじゃない。そもそも、救急カートを持ってきたからなんだっていうのよ！　さっきも言ったでしょ。湯浅君が首を切られたとき、私は第八手術室にはいなかった。だから私は湯浅君を殺してなんかいない。これは紛れもない事実でしょ！」

辻野は荒い息をつく。

「あの、天久先生」迫がおずおずと言う。「そろそろ湯浅春哉が殺害された件について、ご説明願えませんでしょうか」

「そうだな。それじゃあ、本丸の攻略と行くか」

鷹央は楽しげに言うと、左手の人差し指をぴょこんと立てた。

「あの事件の真相を暴くには、いくつかの鍵が必要になる。一つは辻野が救急カートを運んだこと。一つは去年の三月、湯浅が急に大学院を辞めたこと。一つは剃刀の刃入りの脅迫状で湯浅が指に怪我をしたこと。一つは事件後、湯浅のロッカーが荒らされていたこと。一つは事件時に湯浅が全身麻酔用カートを倒したこと。そして最後に

……それだ」

鷹央は辻野のデスクに置かれているマグカップを指さした。リスのような生物がプリントされているマグカップを。

「マグカップ？」迫が戸惑いの声を上げる。

「マグカップが重要なんじゃない。そこにプリントされている写真が重要なんだ。よく見ると、そこに写っている生物の後ろには、テーブルやテレビが写り込んでいる。スタジオではなく個人の部屋で撮ったものだ。おそらく、自分のペットの写真をマグカップにプリントしてくれるサービスを使ったんだろう。違うか？」

鷹央は辻野に水を向ける。辻野は「……だったら何なのよ？」と不満げに答えた。

「そのリスがどうしたっていうんだ？　事件に関係があるのか？」

全く見えてこない真相に苛立ったのか、成瀬がかぶりを振る。

「その生物はリスじゃない。デグー、チリの山岳地帯が原産のげっ歯類だ。かなり知能が高く、人によく懐《なつ》くので、最近日本でもペットとして人気が出てきている」

鷹央は振り返って僕を見る。

「ちなみに、沖縄ではアグー豚というブランド豚が飼育されていて、イタリアにはラグーという煮込み料理がある」

「えっ、豚と煮込み料理って、もしかしてそのリスみたいなのが……」

僕はマグカップにプリントされた、リスもどきの動物を指さす。

「そう、去年の三月に、湯浅が舞に引き取ってもらえないか聞いてきた『美味しそうな名前の動物』だ。舞に断られた湯浅は、次に辻野に頼んだ。辻野はその頼みを聞き入れ、湯浅が飼っていたデグーを飼いはじめた。マグカップにプリントまでしているところを見ると、その可愛らしさに骨抜きになったんだろうな」

辻野は唇を固く結ぶ。その沈黙は、鷹央の予想が正しいことを物語っていた。

「さて、去年の三月といえば湯浅が大学院を辞めた時期とも重なる。その頃、湯浅は可愛がっていたペットを手放し、そして昔からの目標だった基礎研究からも唐突に身を引いている。なぜそんなことになったんだと思う？」

鷹央はこの部屋にいる人々の顔を見回す。しかし、なぞなぞのようなその問いかけに答える者はいなかった。

「おいおい、ここまでヒントをやっているのに分からないのか？　よく考えろ、この二つの事柄には共通項がある。湯浅は大学院でどんな研究をしていた？」

湯浅の研究は麻薬による幻覚作用を……。そこまで考えたところで、僕は目を見張る。

「マウス！」自然とその単語が口から滑り出た。

「そう、湯浅は研究でマウスを使っていた。マウス、つまりハツカネズミはげっ歯類、そして湯浅が飼っていたデグーもそうだ。つまり見方を変えると、湯浅はげっ歯類から離れたということになる。それはなぜか。なぜ大切なペットを手放し、人生の目標まで諦めなければならなかったか」

力強くなる鷹央の口調が、事件の核心が迫っていることを予感させた。それまで入り口近くで黙っていた野乃花が、小さく手を上げる。

「もしかして……、アレルギー？」

「おお、正解だ！」

鷹央はびしりと野乃花を指さしたあと、その指先を成瀬に向けた。

「ところで依頼した件は調べてくれたか？」

「……ええ、ちゃんと調べましたよ」

鷹央の指示で動いたことが悔しいのか、成瀬はぶっきらぼうに言う。

「救急隊の記録を調べたところ、去年の三月四日の深夜、湯浅春哉は全身の発疹《ほっしん》と血圧低下、そして意識混濁で自宅から救急搬送されています。その際、救急隊に陵光医大付属病院には搬送しないでくれと強く要請したため、少し離れた総合病院に運ばれました」

「……アナフィラキシー」僕は呆然とつぶやいた。

アナフィラキシー。重度の全身性アレルギー反応が急速に進行していく症状。

「そうだ。去年の三月四日、きっとこんなことがあったんだろう。湯浅春哉はペットであるデグーに噛まれて、アナフィラキシーを起こした。おそらくリポカリンアレルギーだろう。げっ歯類の唾液《だえき》などに含まれているリポカリンという物質は、人間に対して激烈なアレルギーを起こすことがある」

語りはじめた鷹央の話を、僕たちは集中して聞く。第八手術室で起きた『透明人間による殺人事件』。その真相が明かされていく興奮に、心臓の鼓動が速くなっていた。

「すぐに湯浅は、自ら救急要請をする。しかし、陵光医大付属病院に搬送されるわけにはいかなかった。もし、自分が所属する陵光医大に搬送され、リポカリンアレルギーであることがばれれば、二度と研究に携わることができなくなるかもしれない。げっ歯類に噛まれれば命の危険がある奴に、マウスを使った研究など許可できるわけがないからな。ところで成瀬、搬送された湯浅を診察した医師には話は聞けたのか？」

鷹央に話を振られた成瀬は、分厚い唇を歪める。

「聞き込みはかけましたが、令状がない限り患者の個人情報は漏らせないということで、情報は得られませんでした」

「まあ、仕方ないな」鷹央は鼻の頭を掻く。「ここからは想像になるが、おそらく搬送された湯浅を見た医師は、陵光医大の関係者だったんだと思う。そして、アナフィラキシーの治療を終えたあと、湯浅に警告した。『マウスを使った研究は今後絶対にするな。もし研究を続けようとしたら、アレルギーのことを大学に報告する』とな」

「患者の個人情報を大学に漏らすなんて、問題にならないんですか？」

迫が軽く首をひねった。

「微妙なところだが、患者の命にかかわることだからな。それに、単なる脅しで、本当に報告する気はなかったのかもしれない。なんにしろ、湯浅は忠告通り大学院を辞めた。まあ、地方の学会にまで出ているところを見ると、その医者に気づかれないよう、他の大学で研究を続けるつもりだったのかもしれないけれどな。そしてもちろん、ペットのデグーも手放す必要があった。あのデグーをな」

鷹央はマグカップにプリントされた、つぶらな瞳のげっ歯類を指さす。

「デグーを引き取ってもらう際、湯浅は辻野に事情を説明したんだろう。ペットの件や、突然臨床に戻った自分をこの病院で雇ってくれたことに恩義を感じ、信頼していたんだ。だからこそ、麻薬依存に気づいたときも辻野を告発せずに、なんとか更生させようと思った。けれど……それが間違いだった」

鷹央の声が低くなる。

「辻野は麻薬依存症を隠すため、アレルギーを利用して湯浅の口を封じることにした。そのためにまず去年の十二月から、湯浅と黒部に脅迫状を送りはじめた」

「えっ、あの脅迫状も辻野先生が⁉」八巻が目を剝く。

「そうだ。去年の十二月から、すでに計画ははじまっていたんだ。恐ろしい冷酷さと計画性だよな。ちなみに、黒部にも同じような脅迫状を送ったのは、事故で死んだ少年の関係者からのものだと思わせて、自分から疑いを逸らすためだろう」

辻野はこわばった表情のまま、無言で鷹央を睨みつける。その殺気すらこもっていそうな視線を気にする素振りも見せず、鷹央は話を続ける。

「そして、麻薬をやめなければ告発すると湯浅から最終警告を受けた辻野は、計画を実行に移す。まずは剃刀の刃入りの脅迫状を湯浅に送り付けた。それにより、首尾よく湯浅は右手の指に怪我をする。それを確認した辻野は、傷が塞がらぬうちに凶器を仕込んだ」

「凶器……ですか？」迫が首を軽く傾ける。

「ああ、そうだ。リポカリンを塗った処置用手袋だ」

鷹央が声を張ると同時に、辻野の口からかすかにうめき声が漏れた。

「辻野は密かにリポカリンを貯《た》めていたんだ。いざというとき、湯浅に投与して殺害するためにな。さすがに、マグカップに写真をプリントするほど可愛がっているデグーから採るわけがないから、マウスの唾液腺《せん》でも使ったかな？　ペットショップに行けば、蛇や猛禽《もうきん》の餌として冷凍されたマウスが売られている。まあ、マウスの唾液腺なんて小さいから、十分な量を手に入れるのは大変だっただろうな、ご苦労なことだ」

話しすぎて乾燥したのか、鷹央はピンク色の唇を舐める。

「麻酔科の部長である辻野は、手術が行われている時間は、各手術室を巡回して様子を見ている。先々週の金曜、舞の手術が終わりかけているのを見て第八手術室に向かった辻野は、カートに置かれていた処置用手袋を、自分が用意したリポカリンを内側の指先に塗った手袋とすり替えた。舞が麻酔から醒めはじめるのを見て、湯浅は気管内チューブを抜くために、処置用手袋をはめる。まさか、それにリポカリンが仕込まれているとは思わずに」

鷹央が言葉を切って一息つく。

「手袋に仕込まれたリポカリンは、指先の傷口から湯浅の血中に侵入し、連鎖的に激烈なアレルギー反応を引き起こしていった。おそらく、舞の気管内チューブを抜いて、呼吸状態を確認していたあたりで、湯浅は自分の体に起きている異常に気づいたんだろう。アナフィラキシーは抗原に暴露されたあと、最短では数秒で引き起こされるからな。そして、リポカリンによるアナフィラキシーは、症状が極めて重篤になりやすい。しかも、湯浅がアナフィラキシーを起こすのは二度目だ。一般的に、一度目より症状はさらに悪化する。血管透過性の異常亢進《こうしん》による全身の蕁麻疹《じんましん》と、浮腫《ふしゅ》、血圧低下、そして呼吸困難が一気に起こったはずだ。監視カメラの映像に映った湯浅の顔が真っ赤だったのは、苦痛で顔が紅潮していたのではなく、蕁麻疹で赤く腫《は》れあがっていたんだろう」

僕は映像で見た湯浅の姿を思い出す。言われてみれば、あの顔の赤さは異常だった気もする。しかし、まさか蕁麻疹を起こしていたなんて……。

「パニックになった湯浅は一人で暴れまわった。それが、映像に残っていた『透明人間』と取っ組み合っている姿だ。しかし、医師である湯浅は数秒で自分がアナフィラキシーを起こしていることに気づく。その時、どういう対処を取るべきだと思う？」

鷹央は僕に流し目をくれた。

「それは……、アドレナリンを打とうとするんじゃないですか？」

アドレナリンはアナフィラキシーに対する特効薬だ。血圧を上げ、血管の透過性亢進を防ぎ、アレルギー反応を抑える。

「そうだ。当然、湯浅もそう考え、全身麻酔用カートに飛びついた。しかし、あるはずのアドレナリンのアンプルが、カートには収められていなかった」

鷹央は辻野に視線を向ける。

「リポカリン入りの手袋を仕掛けた際に、そいつがカートに入っていたアドレナリンのアンプルを抜き取っていたんだろう。あるはずのアドレナリンがないことに気づいた湯浅は、血圧低下でめまいでもしたのか、それとも絶望のせいか、カートを倒してしまった」

画面の外から、シリンジなどが床に散らばった映像を僕は思い出す。

「待ってよ！」

大声が部屋の空気を震わせた。見ると、辻野が両手の拳を握りしめていた。

「さっきから、見てきたみたいに適当なことを言って！　たしかにいまあなたが言ったことをすれば、アナフィラキシーを起こすことができるかもしれない。『透明人間』と取っ組み合っていたように見えるかもしれない。けれど、湯浅君はアナフィラキシーで亡くなったんじゃない。首を切り裂かれて殺されたのよ。控室にいた私にどうやってそんなことができるっていうの。そんなことができるのは、手術室にいた患者だけなのよ！」

辻野は歯茎が見えそうなほど唇を歪めながら怒鳴る。たしかにその通りだった。どうやって密室の外から被害者の首を切り裂いたのか、それが説明できない限り、この事件は解決せず、鴻ノ池の疑いも晴れることがない。

僕は唾を飲み込むと、鷹央の言葉を待った。

「なんで、湯浅春哉は暴れまわっていたんだと思う？」

鷹央は独りごちるようにつぶやく。

「えっ？　なに言っているんですか？　ひどいアレルギーが起きたからって、自分で言っていたでしょ」成瀬が渋い顔で言った。

「ああ、その通りだ。けれどアナフィラキシーが起こったとしても、蕁麻疹や血圧低下によるめまいだけで、誰かと取っ組み合っているように見えるほど大暴れはしない」

「なにが言いたいんです？　まどろっこしいことなしで、本題に入ってくださいよ」

声を荒らげる成瀬に、鷹央は「分かった、分かった」と手をふる。

「湯浅は苦しかった。だからこそ、あんなにパニックになり暴れていたんだよ」

鷹央の説明に、迫が頭を掻く。

「でも、アナフィラキシーでは大暴れしないとおっしゃっていませんでしたか？」

「あくまで、蕁麻疹や血圧低下ではだ。一番恐ろしいのはそれらの症状じゃない。アナフィラキシーの死因で最も多く、そして強い苦しさと恐怖が生じる症状、それは……」

鷹央は一度言葉を切ると、人差し指を立てた左手を顔の横に持ってくる。

「窒息だ」

「窒息？　息ができなくなるということですか？」

迫の問いに、鷹央は「そうだ」と首を縦に振った。

「アナフィラキシーでは血管透過性の異常亢進により、血管から水分が染み出し、全身に浮腫が起きる。そして声帯まで腫れあがると、声門が閉塞し窒息する。湯浅にはこれが起きていたはずだ。湯浅の首に残っていた絞められたような指の跡、それが証拠だ」

「あの跡が？　どういうことですか？」迫が身を乗り出す。

「窒息した人間は、本能的に両手で自分の首を強く押さえる。チョークサインと呼ばれる反応だ。つまりあの指の跡は、『透明人間』に絞められたものではなく、湯浅が自分で首を押さえた際に出来たものだったんだ。指紋が出ないのも当然だな。その時、湯浅はまだ手袋をしていたんだから。リポカリンが仕込まれている手袋をな」

鷹央の説明を迫は呆然と聞く。次々と明かされていく事実に、頭がついていかなくなっているのかもしれない。

「ちなみに、湯浅の声門が閉塞していた証拠は他にもある。蘇生術を施している最中、医師の一人が湯浅に気管内チューブを挿入しようとしていたが、どうしてもうまくいかなかった。あれは声帯が腫れあがって、チューブを通すべき声門が閉じていたためだ」

鷹央は一度大きく息を吐くと、顔を上げた。その引き締まった表情を見て、僕は気づく。とうとう事件の最大の謎が、明らかになろうとしていることに。

「声帯浮腫により窒息し、特効薬であるアドレナリンもない。声門がつまっているので声は出せないし、アドレナリンを探しに手術室外に出ても、見つけ出す前に倒れてしまう可能性が高い。もはや窒息死を待つだけの絶体絶命の状態。しかし、麻酔科医である湯浅には最後の手段があった。普通なら考え付かないであろう、恐ろしい手段が。そして湯浅はその可能性に賭けた」

僕は「あっ⁉」と声を上げ、大きく目を見開く。声門が閉塞した患者に行う処置。救急部での経験が、あの日、第八手術室でなにが起きたかを教える。

まさか、そんなことが……。

口を開けて立ち尽くす僕を見て、鷹央は「気づいたか？」と笑みを浮かべた。

「気管……切開」

気管切開。メスで首の皮膚ごと気管を切開し、その部分にチューブを差し込むことで強引に気道を確保する手技。

「そうだ！」鷹央は張りのある声を上げる。「アナフィラキシーによって窒息状態に陥っていた湯浅は、手術室の棚からメスを取り出し、自らの気管を切開して気道を確保しようとした。無茶な行為だが、それ以外に助かる道はなかった。しかし、……成功しなかった」

「間違って、血管を……」野乃花が片手を口元に当てる。

「そうだ。麻酔科医である湯浅は、これまで多くの気管切開を経験してきただろう。けれど、さすがに鏡もなく、しかも窒息と血圧低下で意識朦朧の状態で、自らの気管を切開するのは無理だった。気管を切開したメスは、勢い余って頸動脈まで切断してしまった。そして、湯浅春哉は出血により死亡した」

鷹央はどこか気怠そうに、人差し指を立てた左手を振ると、「これが『透明人間による密室殺人』の真相だ」と付け足した。

耳がおかしくなったかのような沈黙が、部屋に降りる。鷹央が暴いた事件の驚くべき真相に誰もが圧倒され、言葉を発せずにいた。

「さて」鷹央が沈黙を破った。「事件が起きて一番驚いたのはこの女だろうな。なにしろ、アナフィラキシーで死ぬはずの湯浅が、なぜか首から血を吹き出して倒れたんだから」

鷹央に指さされ、辻野は歯を軋《きし》ませた。

「混乱しつつも手術室に向かい、惨劇を見たお前は、何が起きたかを理解して焦ったんだろ。予定では、湯浅はアナフィラキシーにより『病死』するはずだった。しかし、喉を切られた湯浅が血まみれで倒れている光景は、誰がどう見ようと『殺人』だ」

鷹央はなぶるかのように、ゆっくりと言葉を続ける。

「病死なら一応警察に通報がいっても、形だけの捜査をしてお終いだ。湯浅は原因不明のアナフィラキシーで死亡という形で丸く収まる。けれど、殺人ではそうはいかない。遺体は司法解剖されるだろうし、手術室はくまなく調べられ、あらゆる遺留品が科捜研で検査される。そうなれば、手袋の内側にリポカリンが仕込まれ、それにより湯浅がアナフィラキシーを起こしたことも明るみに出るかもしれない。最終的に自分に捜査の手が及ぶ可能性もある。すぐにそこまで考えたお前は、蘇生に参加するふりをして、証拠の隠滅を開始したんだ」

鷹央の言葉を聞いて、僕は手術室に駆けつけてからの辻野の行動を思い出す。

「まず、お前はわざわざ廊下を戻ると、そこにあった救急カートを手術室まで運んだ。これは、手術室内の全身麻酔用のカートからアドレナリンのアンプルを抜いたことを誤魔化すためだ。蘇生にはアドレナリンが不可欠だ。もし、全身麻酔用のカートにアドレナリンがないと知られたら、自分の計画がばれるかもしれない。まあ、そのおかしな行動のせいで、私に犯行を気づかれたんだけどな」

鷹央は小さく忍び笑いを漏らした。

「救急カートを運びこんでアドレナリンについて誤魔化したお前は、次に凶器を隠そうとした。手背静脈を穿刺して点滴ラインを確保するとき、湯浅が嵌めていた手袋を外したんだ。手袋をしたままでは血管穿刺はできないので、それは自然な動きだった。両手背の血管に点滴ラインを取ったのは、両手の手袋を回収するためだ。処置用のゴム手袋には左右差はないので、どちらを傷がある方の手に嵌めてもいいように、二枚ともリポカリンを仕込んでいたんだろう。そうして、手袋を回収したお前は、仕上げに入った」

僕は息をすることも忘れ、鷹央の言葉に聞き入っていた。

「アナフィラキシーの隠蔽だ」

鷹央の左手の人差し指が左右に揺れはじめる。

「湯浅の顔が血塗れだったおかげで、その場にいた他の者は蕁麻疹に気づいてはいなかった。しかし、そのまま湯浅が死ねば、司法解剖で気づかれる可能性が高い。だからこそ、湯浅が完全に死亡する前に、辻野はアレルギー症状を消し去りたかった。そして、それをするのに都合の良い薬があった」

「アドレナリン……ですね」

僕が小声でつぶやくと、鷹央は「正解だ」と唇の端を上げた。

「アドレナリンはアレルギー症状を強力に抑え込むだけではなく、強力な強心作用があり、蘇生術で最も必要な薬剤とされている。大量出血で瀕死の状態になっている湯浅に投与しても何もおかしくない。だからこそ、辻野は点滴ラインからアドレナリンを投与し続けた。たとえ心肺停止状態になっても、細胞レベルの死はすぐには起こらない。心臓マッサージと大量の輸液により、投与されたアドレナリンは全身へと行き渡り、そしてアレルギー反応を抑え込んでいった。蘇生術を中止した三十分ほど後には、投与された大量のアドレナリンによって、アナフィラキシーの痕跡は消えさった」

さすがに話し疲れたのか、鷹央は大きく息を吐いた。

「こうして完全なる密室殺人が出来上がり、湯浅が自分で首を切った際に手術台の上に落ちたメスを握った舞に、湯浅殺害の容疑がかかったんだ」

「あの……」迫がおそるおそる口を挟む。「事件後に、被害者のロッカーに入っていたバッグが荒らされていたのはどうしてなんでしょう?」

「ああ、それも湯浅のリポカリンアレルギーを隠すためだ。アナフィラキシーを起こしたことのある患者の多くは、再びそれが起こった際にすぐ皮下注射できるように、アドレナリンの自己注射キットを常時携帯している。それが見つかれば、湯浅のアナフィラキシーの既往歴がばれてしまう。だから、警察が見つける前にそれを回収したんだよ」

「はぁ、なるほど」迫は感嘆の声を漏らした。

「さて、以上が先々週の金曜日、第八手術室で起こったことだ。なにか反論はあるか?」

鷹央は少し顔を傾けると、辻野を睨め上げる。硬くこわばっていた辻野の口元がかすかに緩んだように見えた。突然、辻野は拍手をはじめる。

「すごい想像力ね。そんなとんでもない話を思いつくなんて」

「なんだ? しらを切るつもりか? 現場を押さえられておきながら」

拍手を続ける辻野を鷹央は呆れ顔で見る。

「ええ、たしかに私は麻薬依存症よ。そして、湯浅君にそのことを知られていた。それは認める。けれど、だからって私が湯浅君を殺したことにはならないでしょ」

「湯浅の医療記録を調べれば、リポカリンアレルギーだったことは証明できるぞ」

「だからなんだって言うわけ? それだけじゃ、先々週の金曜、湯浅君がアナフィラキシーを起こしたことは証明できない。もちろん、私がそれにかかわったこともね」

余裕を見せる辻野を前にして、鷹央は両腕を組む。

「なるほど、凶器であるリポカリンを仕込んだ手袋はすでに始末した。さらに湯浅がアナフィラキシーを起こした痕跡も、アドレナリンの投与によって消し去った。だから、なんの証拠もないっていうことか」

「そんな証拠、もともとなかったのよ。あの事件は、麻酔から醒めて朦朧状態の患者が、突発的にかつての元恋人の首を切り裂いた。それだけの単純な事件なの。まあ、あの二人の間に何があったのかは、残念ながらもう永遠に分からないでしょうけどね。

……二人とも死んじゃったんだから」

酷薄な笑みを浮かべながら、唇を舐める辻野の姿は、どこか蛇を彷彿させた。

「証拠、……証拠ねえ」

腕を組んでつぶやいていた鷹央は、振り返ると僕に目配せをする。

合図だ。僕は扉の外に向かって手招きをした。

「さて、それじゃあメインイベントだ」鷹央が高らかに宣言する。

「メインイベント？」

訝しげに細められた辻野の目が、次の瞬間、裂けそうなほどに大きく見開かれた。

部屋の中にゆっくりとした足取りで入ってきた人物を見て。

「あなたが……湯浅先輩を殺したんですね」

鴻ノ池舞は唇を強く嚙んだ。


「な、なんであなたが……」

息も絶え絶えに、辻野は鴻ノ池を指さす。しかし、鴻ノ池は辻野を睨みつけるだけで、なにも言わなかった。代わりに、鷹央が口を開く。

「おいおい、そんなに怯えるなって。別に幽霊ってわけじゃないんだから」

　辻野は視線をゆっくりと、鴻ノ池から鷹央に移動させる。

「でも、この子はさっき死んだはず……」

「残念ながら死んでいなかったんだよ。言っただろ。私は事件後のお前の映像を見て、全てを理解したって。それが二日前だ。それから、私はお前の犯行を暴くための罠《わな》を準備していたんだよ」

「罠……?」辻野は鷹央の言葉をただ繰り返すことしかできなかった。

「そうだ。そのためには、舞をICUに移動させる必要があった。だから、舞が重症であるように見せかけたんだ」

「もしかして、あの血液検査のデータって⁉」

　息を呑む辻野を見て、鷹央の顔にいたずらに成功した子供のような表情が浮かんだ。

「そう、あれは舞の血液じゃない。天医会総合病院の救急部に搬送され、すぐに死亡した敗血症患者の血液だ。中央検査部に提出する前に死亡したんで、採取した血液検体を譲ってもらって、舞の検体とすり替えた。だから、あんな血液データが出たんだ」

「それじゃあ、小鳥遊先生があんなに必死に、ICUに移してくれるように依頼してきたのも、全部演技だったわけ⁉」

　辻野が目を剝く。鷹央はいやらしい笑みを浮かべて親指を立て、背後の僕を指さした。

「いや、演技なんかじゃないぞ。小鳥は本気で舞が重症だと、ＩＣＵに入らなければ命の危険があると信じていたんだ」

そのときのことを思いだし、僕は唇をへの字にする。

「うちの小鳥は根っからのお人好しでな、嘘をついてもすぐ顔に出るんだ。だから、血液は八巻に取り替えさせた。だからこそ、お前に疑われることなく、舞をＩＣＵに移すことができたんだ」

そう、僕が血液サンプルの入れ替えを知らされたのは、鴻ノ池をＩＣＵに移してすぐだった。突然、二人の刑事を引き連れて第一外科の医局に乗り込んできた鷹央が、にやにや笑いながら種明かしをはじめたのだ。八巻と野乃花が起こした簡易『透明人間事件』をダシにして、八巻に検体の入れ替えをさせたと。

朝、八巻が遅刻してきたのも、昼頃に様子がおかしかったのもそれが原因だった。しかも、僕が再検査を命じるのさえ見越して、入れ替え用の検体を前もって二セット、八巻に渡しておく用意周到さだ。

ちなみに、計画については鴻ノ池にも前もって電話で伝えられていた。つまり、昨日の朝から鴻ノ池がしきりに体調不良を訴え、苦しそうにしていたのも、全部僕をだますための演技だったのだ。

「画像検査で異常が見つからないのに、あれだけひどい検査データになっていることに違和感をおぼえなかったことが、お前の敗因だ。まあ、舞をICUに移す千載一遇のチャンスに、お前が飛びつかないわけないことは分かっていたけどな」

鷹央は得意げに胸を張る。

「な、なんのことよ！」

辻野の声は震えていた。鷹央は再び左手の人差し指を立てる。

「密室のトリックに気づいたあと、一つ気になったことがあった。この計画の確実性の薄さだ」

「確実性……ですか？」迫が聞き返した。

「そうだ。たしかにリポカリンのアナフィラキシーは激烈だ。命を落とす可能性は十分にあるが、確実ではない。それどころか救命される可能性の方がはるかに高かっただろう。アナフィラキシーが起きたとき手術室に誰かがいれば、いなかったとしてもすぐに気づかれて適切な処置がされれば、症状が窒息するほど強烈でなければ。どの場合でも、湯浅は命を取り留めたはずだ。そうなれば、湯浅の口を塞ぐという目的は果たせない」

そこで一息入れた鷹央は、皮肉っぽく「けれど、よく考えればどっちでもよかったんだ」と続けた。

「湯浅が死のうが生き残ろうがどちらでもよかったということですか？」

迫は意味が分からないというふうに、渋い表情を浮かべる。

「そうだ。もしアナフィラキシーで死ななかった場合、湯浅がどうなったか考えてみろ。簡単だ、入院して治療を受けたはずだ。そして入院する場所は、この上の階、ICUだ」

鷹央の言葉に、この部屋にいる人々は天井を見上げる。

「ひどいアナフィラキシー、しかも患者は麻酔科の医師となれば、麻酔科が管理するICUに入院するのはごく自然の流れだ。そして、ICUの責任者は……辻野、お前だ」

名前を呼ばれた辻野の顔は、血の気が引いて真っ青に変色していた。

「そこまで気づいたとき、私はあることを思いだした。辻野が必死に舞の無実を訴えていたことだ。最初は、麻酔科医としての経験からの行動だと思っていたが、少し角度を変えると、その言動に隠された恐ろしい意図が見えてきた」

鷹央は人差し指をメトロノームのように振る。

「辻野は舞の疑いを晴らすことで、病室の前にいる刑事を排除したかったんだ。刑事がいる限り、病室への出入りが常に監視されるからな」

「それって、私の病室に忍び込んで……」こわばった表情で、鴻ノ池がつぶやく。

「そう、病室に忍び込んで、お前を殺すつもりだったんだよ。アナフィラキシーによる殺害が失敗した場合、ＩＣＵに入院した湯浅にやろうとしていたようにな」

「なんで、私を……殺さないといけなかったんですか？　あのままなら、私が湯浅先輩殺害の犯人にされそうだったのに」

「たしかにあのままだと、お前は逮捕されただろう。けれどそれは、事件当時、お前と湯浅しか手術室にいなかったという消極的な理由によるものだ。警察は起訴に持ち込む証拠を集めるために、お前と湯浅の周囲を徹底的に調べる。辻野にはそれが恐ろしかった」

鷹央は横目で辻野を見る。辻野の体が細かく震えだした。

「湯浅について詳しく調べれば、まずリポカリンアレルギーのことがばれる。もしかしたら、辻野の麻薬依存についても、湯浅はなにか情報を遺しているかもしれない。辻野にとってはそれだけは絶対に避けなければならなかった。だからこそ舞、辻野はお前を殺そうとしたんだ」

「どうしてですか⁉　私が死んだらどうなるっていうんです？」

鴻ノ池は痛みを耐えるような表情で叫ぶ。

「お前は事件の最大の容疑者だった。そんな人物が捜査中に命を落とした場合、警察は『被疑者死亡』という形で書類送検をし、詳しい捜査は行わない。もう容疑者を裁判にかけることはないから、裁判用に証拠を集める必要がなくなるんだ。そうだよな」

鷹央に話を振られた迫は、重々しく頷いた。

「残念ながら、その通りです。我々のマンパワーには限りがあり、そして捜査すべき事件は毎日のように起こっています。裁判が行われない事件に、人員を割くわけにはいきません。被疑者が死亡した時点で、その事件の捜査は曖昧なまま幕が引かれます」

鷹央は満足げに頷いた。

「つまり、警察に逮捕される前に、辻野は舞を殺したかった。それに気づいた私は計画を練ったんだ」

鷹央は挑発的な視線を辻野に向ける。

「まず、小鳥に舞を重症患者だと思わせ、ＩＣＵに入れてくれるようお前に頼み込ませた。お前は喜んで承知した。何しろ、標的が自分のテリトリーにやって来るんだからな。さすがに刑事も、家族の面会すら制限されるＩＣＵに張り付くことはできない。そしてお前は、看護師に気づかれないように舞に近づき、点滴ラインから薬剤を注射した」

鷹央はポケットからスマートフォンを取り出すと、高々と掲げる。

「まるで見ていたような説明だろ。実際見ていたんだよ。モニター越しにな」

画面では、鴻ノ池が毛布を体にかけ、目を閉じてベッドに横たわっている。やがて、きょろきょろと周囲を見回しながら、辻野がベッドに近づいてくる姿が映し出された。

辻野は麻酔科ユニフォームのポケットから素早くシリンジを取り出し、それを点滴ラインの側管に接続すると、一気に中身をラインに押し込んだ。すぐに、脇にあるモニターの心電図のラインが平坦になる。それを確認した辻野はシリンジを素早く外すと、走ってベッドから離れていった。

「ちなみにあの心電図な、舞のものじゃなくて、私の心電図だったんだよ。舞のベッドが置かれていたちょうど真下が、私たちが隠れていた標本作成室だったからな。そこから電波で心電図データを飛ばしていた。そして、モニターでお前が薬を打ったのを確認して、一気に心電図の電極を胸から外したんだ」

辻野は焦点のぶれた目で、スマートフォンの画面を眺め続ける。

「当然、あの点滴ラインは舞の血管に繋がっていなかった。気づかなかっただろうが、毛布の中に置いたプラスチックの容器に溜まるようにしておいたんだ。それはすでに証拠として回収して、鑑識に回してある。まあ、静脈注射で心停止させるものといえば、塩化カリウム溶液がまず思い浮かぶが、それだと蘇生しやすいからな。確実に殺害して、しかも証拠も残りにくいと言えば、高濃度のリドカイン溶液というところか？」

リドカインは心臓の過剰な電気活動を抑える作用があるため、抗不整脈薬として使用される薬剤だ。しかし、高濃度リドカイン液を一気に静脈注射すると、心臓の電気活動を完全に抑制し、心停止を引き起こす。

辻野は震える唇を開くが、もはやそこから声が出ることはなかった。

「そもそも、手術の進行状況を確認するはずの監視カメラが、第八手術室では入り口辺りを映していたことからしておかしいんだよ。どうせ湯浅がアナフィラキシーを起こしても、すぐに気づかれず死亡する確率を上げようと、お前が前もって手術室の一部しか映らないように操作していたんだろ？　ちなみに、小鳥たちに、舞に蘇生術を施すという小芝居をするように指示したのも私だ。院長と手術部の看護師長が協力してくれたんで、スムーズにことを運ぶことができた。秋津野乃花に対する外科部長のセクハラを解決してやった件で、看護師長は私に感謝していたからな」

麻薬を打った跡がかすかに残る辻野の左肘《ひじ》に、鷹央は目を向ける。

「なんで小鳥たちに下手な芝居をうたせたか。そうやって舞が死亡したと信じ込ませれば、お前が麻薬を打つんじゃないかと思ったからだ。かなりひどい麻薬依存者なら、大仕事を終えたあとご褒美の一服をしたくなるのも当然だな」

鷹央が忍び笑いをもらすと同時に、辻野は膝から崩れ落ちた。

背骨が抜けたかのようにへたり込む辻野に、鷹央は容赦なく言葉をぶつけていく。

「これで、麻薬所持・使用と、舞に対する殺人未遂では確実に有罪だ。湯浅に対する殺人も、おそらく状況証拠から立証できるだろう。リポカリンを集めるために、冷凍マウスなどを大量に買っていたりするだろうからな」

鷹央は迫に目配せを送る。迫と成瀬は一瞬目を合わせると、力なく座りこんでいる辻野の腕を摑んで立たせる。

「辻野先生、あなたを麻薬所持の現行犯で逮捕します。あなたには黙秘権が……」

型通りの説明をしたあと、迫は力なくうなだれる辻野の両手に手錠を嚙ませた。ガチャリという冷たい音が空気を揺らす。

顔の筋肉が弛緩した辻野は、一気に十歳以上も老けたように見えた。迫と成瀬は両側から辻野を支えながら、部屋を出ようとする。僕、八巻、野乃花が脇によけて道を作る。しかし一人だけ微動だにしない人物がいた。

迫と成瀬が足を止める。力なくうなだれていた辻野は、緩慢な動作で顔をあげた。その顔がこわばる。正面に立つ鴻ノ池を見て。

鴻ノ池は血が滲みそうなほどに強く下唇を嚙み、辻野を睨みつける。強く握られた両拳がぶるぶると震えていた。

「舞、やめろ。その女はもう終わりだ。お前が手を上げる価値はない」

鷹央が低い声で言う。しかし、鴻ノ池は動かなかった。

僕は鴻ノ池に近づくと、その肩に手を置いた。細かい震えが掌《てのひら》に伝わってくる。

「……舞」鷹央がもう一度、声をかける。哀しげな目で鴻ノ池を見つめながら。

鴻ノ池は顔を伏せ、すっと身を引いた。

迫と成瀬はお互いに軽く目配せをすると、辻野を連れて麻酔科部長室を出た。

「お世話になりました、天久先生。またあらためてお礼とご報告をさせていただきます」

麻酔科控室を横切り、廊下へと続く扉に手をかけた迫が言う。鷹央は「さっさと行け」とでもいうように、軽く手を振った。

成瀬、迫、そして辻野の三人が扉の向こう側に消える。扉の閉まる音が寒々しく響いた。

僕はそっと鴻ノ池の肩から手を引く。事件は解決した。真犯人は逮捕され、鴻ノ池にかかっていた容疑は晴れた。理想的な展開だ。しかし、部屋には息をするのも憚《はばか》れるほどの重い空気が充満し、誰もが口を開くことを躊躇《ためら》っていた。

「……鷹央先生」ひとりごちるような鴻ノ池の声が沈黙を破る。

「なんだ？」

鴻ノ池はゆっくりと顔を上げる。鷹央を見つめるその目は生気を失っていた。

「一つだけ分からないことがあるんです。……なんで湯浅先輩は私を殺そうとしたんですか?」

「殺そうと? なんの話だ?」鷹央は三十度ほど首を傾けた。

「誤魔化さないでください! 湯浅先輩は最期の力を振り絞って、私に筋弛緩剤を打とうとしました。私を殺そうとしたんです!」

悲痛な叫びが部屋に響き渡る。たしかにその通りだ。なぜ湯浅があんなことをしたのか、真犯人が捕まったいまもその理由は解き明かされていない。

やはり、鴻ノ池に恨みでも持っていたのだろうか? それとも、一人で死ぬことに恐怖し、誰かを道連れにしたかったのだろうか? どちらにしても、鴻ノ池にとってはつらいことだろう。かつての恋人が自分を殺そうとしていたのだから。

縋《すが》りつくような視線を向けてくる鴻ノ池の前で、鷹央はゆっくりと口を開いた。

「湯浅がお前に筋弛緩剤を打とうとした行為。……あれは『ダイイングメッセージ』だ」

「え? でも、ダイイングメッセージなんて実際はないって……」

口をはさんだ僕に、鷹央は鋭い一瞥をくれる。

「私は、唐突に死に瀕した人間が、自らの死後に犯人が逮捕されるかどうかを気にして、犯人の名を遺したりしないと言ったんだ。このダイイングメッセージは、それとはまったく意味合いが違うものだ」

鷹央の真意が読めず、僕は眉根を寄せる。鷹央はつかつかと鴻ノ池の目の前まで近づいた。鴻ノ池の顔に緊張が走る。

「気管切開により窒息を回避しようとした湯浅は、勢い余ってメスで自分の頸動脈を切り裂いてしまった。迸る血液を見て湯浅は理解したはずだ。間もなく、自分が命を失うことを。そして、倒れ込みながら湯浅は、周囲の状況を把握したんだろう。生命の危機に瀕すると、脳が通常を遥かに凌駕《りょうが》する処理能力を見せるということは、よくあるからな」

鷹央は淡々と説明をはじめる。鴻ノ池の両手が入院着の裾を摑んだ。

「完全な密室に、自分と舞の二人だけ。その中で首を自ら切り裂いてしまった。しかも悪いことに、手から離れたメスは舞の体の上に落ちている。このままだと何が起きるか、湯浅には予想ができた。舞が自分を殺したと疑われてしまうとな」

鷹央は「実際、警察がそう考えたようにな」と付け加えた。

「それで、なんで私を……殺そうとするんですか⁉」

鴻ノ池はつらそうに顔を歪めながら、言葉を絞りだしていく。

「舞、違うぞ」鷹央は鴻ノ池の顔を見上げる。「湯浅はお前を殺そうとしたわけじゃない。お前を救おうとしたんだ」

「私を……救おうと……？」

鴻ノ池の顔に戸惑いが浮かぶ。鷹央は力強く「そうだ」と頷いた。

「死の間際、このままではお前が疑われることに気づいた湯浅は、その状況を変えようとしたんだ。お前が疑われないようにな。そのために、筋弛緩剤を投与しようとした」

鴻ノ池の目が大きく見開かれる。鷹央は唇の両端を上げた。

「気づいたみたいだな。筋弛緩剤さえ打てばお前は動けなくなる。その状態では当然、湯浅の首をメスで切り裂くことなんてできない。だからお前は犯人なんかじゃない。湯浅は事件が発覚した際に、そう思われるようにしたかったんだ」

鷹央の言葉を聞いて、野乃花が首をすくめる。

「でも、……首から出血して倒れたあとに湯浅先生が筋弛緩剤を打ったところを監視カメラで見られていたら、意味がないんじゃないですか？　鴻ノ池さんに襲われた湯浅先生が、最期に一矢報いたみたいに見えますよ？」

「アナフィラキシーにより窒息しかけ、さらに自らの首を切り裂いてしまったという極限状態で、さすがに監視カメラのことまで気が回らなかったんだろうな」

「でも、そんなことあり得ますか？」今度は八巻が口を挟む。「筋弛緩剤を打ったら、たしかに犯行不能な状態になるでしょうけど、呼吸もできなくなるんですよ。いくら犯人と思われないためとはいえ、鴻ノ池さんを窒息させたら意味ないじゃないですか」

「あの時、舞は手術を終え、気管内チューブを抜かれてすぐだった。抜管の前後、患者には百パーセント酸素が投与され、血液が限界まで酸素化される。その状態では、十分程度なら呼吸ができなくても大きな問題はない。そして、数分以内には患者をリカバリールームに搬送するために、ナースが手術室に戻ってくるはずだった。違うか？」

話を振られた野乃花は、「はい、その通りです」と頷いた。

「誰かが手術室に戻ってくれば、舞が呼吸していないことも気づかれ、必要な処置が行われたはずだ。舞が窒息する危険はほとんどなかった。それに、筋弛緩剤と言っても十分な量を投与しなければ、呼吸までは停止しない。湯浅は優秀な麻酔科医だった。体は動かせなくても呼吸はできるぎりぎりの量、筋弛緩剤を投与することぐらいなら、いまわの際で意識が混濁した状態でも、おそらく可能だったはずだ」

力強く放たれる鷹央の言葉に反論する者は、もはやいなかった。

「じゃあ……、湯浅先輩は、私を殺そうとしたんじゃなくて……」

鴻ノ池は震える両手を口元に当てる。

「突然、死に瀕した人間は、通常はパニックになり、危機から逃れることしか考えられなくなる。そんな状態の人間にとって、自分の死後に犯人が裁かれるかどうかは重要ではない。だからこそ、犯人の名を書き記すダイイングメッセージは、フィクションの中にしか存在しない」

言葉を切った鷹央は鴻ノ池に、柔らかく微笑みかけた。

「湯浅春哉は冷静だった。首から吹き出す血を見て自らの死を悟った湯浅にとって重要なことは、死に抗《あらが》うことではなく、舞、お前を救うことだったんだ」

口を覆った鴻ノ池の手の下から、弱々しい嗚咽《おえつ》が漏れる。

「犯人への恨みが、死の混乱と恐怖に勝ることはない。しかし、大切な者への想いは、それらを凌駕することがある。実際に死に瀕した者が最期の力を振り絞り、家族に言葉を遺す。そういうことは少なくないんだ。そのような行為こそが、現実に存在する、『本当のダイイングメッセージ』なんだろうな」

鴻ノ池の瞳から涙があふれ出す。

「筋弛緩剤を打とうとした湯浅の行為は、舞、お前へのメッセージだったんだ。自分が死んだあとも、前を向き、胸を張って自分の人生を進んで行けという」

鴻ノ池は両手で顔を覆うと、肩を震わせはじめた。押し殺した泣き声が聞こえてくる。すぐにそれは、深い慟哭《どうこく》へと変化していった。

胸に溜まった想いを吐き出すように泣き続ける鴻ノ池を、僕たちは無言で眺め続けた。

　どれだけ経っただろう。おそらくは十分ほどだろうか。部屋に響いていた嗚咽が、余韻を残して静かに消えていった。

　鷹央はまだ震えている鴻ノ池の肩に手をそえた。鴻ノ池は顔を覆っていた両手をゆっくりと下ろしていく。涙で濡れた顔が露わになった。

「舞、そろそろ帰るぞ」

「帰るって、どこにですか……」しゃくりあげながら鴻ノ池は訊ねる。

「天医会総合病院、私たちの職場へに決まっているだろ。とりあえず、今日は私の〝家〟に泊まれ」

「え、でも。私まだ、入院中だし……」鴻ノ池は潤んだ目で僕を見る。

「問題ないだろ、小鳥。もともと、この週末に舞は退院する予定だったんだから、少しぐらい早くなっても」

「はいはい、分かりましたよ」僕は苦笑を浮かべた。「僕がうまく処理しておきますから」

「なに言っているんだ。お前も一緒に帰るんだよ」

「え？　僕もですか⁉」僕は自分を指さす。

「当り前だろ。お前のこの病院へのレンタル期間は、事件が解決するまでだ。辻野が逮捕されたいま、お前はもうこの病院じゃなく天医会の医者だ。そもそも、お前が車で送らなきゃ、どうやってうちの病院に戻るっていうんだ」

「それはタクシーとか……」

さすがに鴻ノ池を退院させるには、事務処理が必要だ。そうしないと、朝になって患者が消えたと大騒ぎになりかねない。

「ぐちゃぐちゃ言ってないで帰るぞ。おい、退院の手続き、任せてもいいだろ?」

鷹央は八巻に声をかける。八巻は小さく肩をすくめた。

「ええ、俺がやっておきますよ。面倒な仕事になりそうですけどね。あと、これからうちの病院の第一外科も麻酔科も、人員不足で大変なことになりそうです」

「まあ、とりあえずがんばれ。そのうち大学の医局から人員が送られてくるさ」

鷹央は心のこもっていないエールを送ると、僕と鴻ノ池に向き直る。

「さすがに疲れた。さっさと帰るぞ」

軽く手招きした鷹央は、部屋の出口に向かって歩き出す。

鴻ノ池はまだ涙が光る目元を手の甲でこすると、力強く前を向いた。

エピローグ

「ということで、この書類に記入してくださいね。えっと、こっちが小鳥遊《たかなし》先生で、こっちは鴻ノ池《こうのいけ》さん」

鷹央の姉にして天医会総合病院の事務長を務める天久真鶴《あめくまづる》が、ローテーブルに書類を置いていく。清和総合病院の手術室で起きた『透明人間による密室殺人事件』の真相が暴かれてから、週が明けた月曜の朝、僕と鴻ノ池は天医会総合病院の屋上に建つ鷹央《たかお》の〝家〟にいた。二人とも休職を終えて勤務に戻るための手続きについて、真鶴から説明を受ける必要があったのだ。

ソファーに座る僕と鴻ノ池は、渋い顔で十枚を超える書類を手に取る。

「元に戻るだけなのに面倒くさいんだなぁ」

離れた場所で椅子に腰掛けている鷹央が、板チョコを片手に、完全に他人事《ひとごと》の口調でつぶやく。

僕を（一時的とはいえ）クビにして、清和総合病院にレンタルしたの、あなたでしようが。僕は湿った視線を投げかけるが、鷹央はどこ吹く風で板チョコを齧っている。

「鷹央、あなたが他の病院に派遣したりしたから、小鳥遊先生は色々と手続きすることになっているんでしょ」

真鶴が鷹央をたしなめる。よほど姉が怖いのか、鷹央は慌てて背筋を伸ばして、口の中のチョコを飲み込んだ。

「いや、姉ちゃん。そうしないと、舞《まい》の容疑を晴らせなかったから、仕方なく……」

しどろもどろで言う鷹央を見て、真鶴はため息をつく。

「何があったのか、ちょっとだけ聞いているからお説教はできないけれど、あまり小鳥遊先生に無理言っちゃだめよ」

僕が内心で「そうだそうだ」と同意する。

「まあ、なるべく善処するよ」鷹央は首をすくめながら言った。

……なんだよ、その政治家の答弁みたいな回答は。

「はい、それじゃあこれでお終いです。今週中に全部記入しておいてください。清和総合病院とのすり合わせは私の方で行いますから」

僕が唇を尖らせていると、真鶴がにこやかに言った。

聞いたところによると、辻野《つじの》が殺人犯として逮捕され、さらに黒部《くろべ》の休職に続いて僕が突然退職したため、清和総合病院はかなりの混乱状態に陥っているらしい。

第一外科の手術はすべてキャンセルされ、他の科の手術もすべてを行うのは困難な状態だということだ。患者の不利益にならないよう、近隣の病院や大学病院へ患者を割り振って、手術をしてもらえるよう手配しているらしい。

まあ、それほど経たずに、陵光医大が麻酔科医と外科医を派遣するだろう。今回の件はすべて、陵光医大出身の辻野が起こしたことなのだから、医局としてはその責任を取る必要があるはずだ。

昨日、成瀬《なるせ》から聞いた話では、逮捕された辻野は麻薬の所持・使用、鴻ノ池に対する殺人未遂については認めたものの、湯浅《ゆあさ》殺害については曖昧な供述をしているという。

だが、鷹央が予想した通り、辻野は定期的に冷凍マウスを自宅近くのペットショップで購入していたらしい。状況証拠を積み重ねれば、必ず湯浅殺害についても有罪に持ち込める。成瀬はそう言っていた。

事件はすべて解決したように見える。けれど……。

僕はテーブルに置いていたペットボトルの緑茶を口に含むと、隣に座る鴻ノ池を横目で見る。事件の謎が解き明かされた夜、鴻ノ池はこの〝家〟に一泊し、週末は自宅で過ごした。そして今日、顔を合わせたときには「おっはよーございます！　小鳥《こ とり》先生」と普段のうざいほど高いテンションが戻っていた。

しかし、本当に事件による精神的ダメージから立ち直ることはできたのだろうか。無理して陽気にふるまっているのではないかと、僕は心配していた。

「それじゃあ、私は会議がありますので」

真鶴は会釈をすると、優雅な足取りで玄関に向かう。ドアノブに手を伸ばした真鶴は、なにかを思い出したように振り向いた。

「鴻ノ池さん、お帰りなさい。うちの病院に戻ってきてもらえて、とっても嬉しいわ」

真鶴の祝福を受けた鴻ノ池は、目を細くする。

「いえ、こちらこそ、またここで働けて嬉しいです」

「最初のうちは無理しないでね。手術してからまだそんなに経っていないし、いろいろ大変な経験したと思うから」

「ええ、いろいろ大変でした。本当に……」

鴻ノ池はなぜか僕に流し目をくれると、言葉を続けた。

「小鳥先生に下腹部を見られたり、胸を触られたりして」

僕は口に含んでいた緑茶を吹き出す。

「わっ、汚い。小鳥先生、なにやっているんですか？」

「お前こそ何言っているんだ⁉」

慌てて身を引いた鴻ノ池を、僕はむせながら怒鳴りつけた。

「えー、でも本当の話じゃないですか。嫁入り前なのにあんなことされるなんて」

鴻ノ池は芝居じみた仕草で目元を拭う。鷹央も腕を組んで「まあ、間違ってはいないな」と余計なことをつぶやいた。

「あ、あれは、消毒を……、それに心臓マッサージの演技をしたときは仕方なく……」

しどろもどろになりながら、僕は真鶴の様子をうかがう。真鶴の端正な顔には引きつった笑みが浮かんでいた。

「えっと……、それじゃあ失礼します」

普段よりどこか他人行儀な態度で言うと、真鶴は扉を開いて出て行った。

「あ……」閉まった扉を僕は呆然と見つめる。

「あれ、なんか誤解されちゃいましたかね？」鴻ノ池は後頭部で両手を組んだ。

「お前、わざと誤解されるように言っただろ！」

僕が声を荒らげると、鴻ノ池はテーブルから書類を取って素早く立ち上がる。

「ごめんなさい、小鳥先生。あとでちゃんと誤解は解いておきますから」

鴻ノ池は踊るような足取りで玄関に向かい、扉を開けて外へと出た。

「あっ、ちょっと待て！」慌てて追いかけようとした僕は、部屋に無数に立つ〝本の樹〟の一つに足を当て、倒してしまう。

「あー!」鷹央が血相を変えて立ち上がった。

「すみません。すぐに直しますから」

「ちゃんと順番を決めて立ててあるんだからな、元の順番どおりに……」

鷹央に文句を言われつつ〝本の樹〟を何とか元にもどした僕は、ため息をつきなが
ら玄関扉を開ける。あのちょこまかとすばしっこい鴻ノ池のことだ。とっくに姿を消
しているだろう。そう思っていた僕は、屋上の手すりに手をかけ、空を仰いでいる鴻
ノ池を見つけて、軽く目を見張る。

僕は少し緊張しながら鴻ノ池に近づいていく。鷹央も出てきて、晴れ渡った空から
の日差しに、眩《まぶ》しそうに目を細めた。

「……鴻ノ池」

声をかけると、鴻ノ池は振り返り、茶色がかったショートの髪をかき上げた。その
顔には普段の天真爛漫《らんまん》な表情とは違う、大人びた微笑が浮かんでいた。

「心配してくれてありがとうございます、小鳥遊《たかなし》先生」

鴻ノ池は数ヶ月ぶりに、僕を『小鳥先生』ではなく、『小鳥遊先生』と呼んだ。

「でも、もう大丈夫です」

鴻ノ池は目を閉じる。懐かしい記憶を反芻するように。

「湯浅先輩はあの日、最期の力を振り絞って私にメッセージを送ってくれた。だから私は前を向いて歩いていきます。……私らしく」

強い決意のこもった鴻ノ池の言葉を聞きながら僕は気づく。さっき、鴻ノ池が僕をからかったのは、自分がもう大丈夫だと、元の自分に戻ったということを僕たちに見せつけるためだったということに。

……だとしても、もう少し手段を選べよな。

逃げるように玄関から出て行った真鶴の姿を思い出し、僕は唇の片端を上げる。いつの間にか近づいて来た鷹央が、僕の隣に立つ。まだまぶしそうに目を細めているが、その口元は緩んでいた。

「うるさい奴が戻ってきたってわけか」

僕がからかうと、鴻ノ池はゆっくりと目を開ける。その顔に浮かぶ笑みは、小悪魔じみたものに、見慣れた僕の天敵の表情に戻っていた。

「そういうことで、鷹央先生、小鳥先生。あらためて、今後ともよろしくお願いします！」

潑溂とした声が、朝の清冽《せいれつ》な空気に包まれた屋上に響きわたった。

鴻ノ池の笑顔

天久鷹央の日常カルテ

三次元の存在である僕たちは、時間という牢獄《ろうごく》に閉じ込められた囚人に過ぎない。しかし、自らが矮小《わいしょう》な存在であることを自覚していてもなお、人には時を遡り、過去を変えたいと思う瞬間がある。

いまの僕のように……。

僕は隣に視線を向ける。そこでは、タンクトップのスポーツブラにレギンスという、やけにセクシーなウェアを着た鴻ノ池《こうのいけ》が柔軟体操をしていた。

『幻影の手術室事件』の解決から二週間ほど経《た》った土曜の昼下がり、僕は鴻ノ池とともに、天医会総合病院の駐車場にいた。

研修医として復帰していた鴻ノ池に、僕は三日前に「大丈夫か？」と声をかけた。復帰後の鴻ノ池は一見すると、以前と変わらず天真爛漫《らんまん》、猪突《ちょとつ》猛進で仕事をしていた。しかし、虫垂炎の手術を受け、昔の恋人が殺され、そして殺人の容疑をかけられるという壮絶な経験をしたのだ。態度に出なくても、まだ心の傷は完全には癒えていないはずだ。そのせいか、ときどき暗い表情を見せる瞬間があり、気になっていた。

「いやあ、まだ完全には回復していなくて」

はにかんで頭を掻《か》く鴻ノ池を見て、やはり無理をしていたのかと同情心が湧き、僕は思わず口走ってしまった。

「それなら、回復するために僕も協力してやるよ。とりあえず、今度飯でも奢《おご》ろうか？」

その瞬間、鴻ノ池は目を輝かして言ったのだった。

「え、私の回復プログラムに付き合ってくれるんですか⁉　それじゃあ、さっそく今週の土曜、よろしくお願いします！」

どうしてあのとき、僕はあんなことを言ってしまったのだろう……。後悔している僕に、鴻ノ池が声をかけてくる。

「小鳥《ことり》先生、なにたそがれているんですか？　しっかり準備運動しないと、怪我《けが》しますよ」

「……なぜ、僕はこれから怪我をする可能性のあるようなことに付き合わされるんでしょう？」

僕の問いに、鴻ノ池はパチパチと目をしばたたいた。

「だって、『回復するために僕も協力してやる』って言ったじゃないですか。だから、入院で落ちた体力を回復するトレーニングに付き合ってもらうんですけど」

「体力の方だったかぁ……」

勘違いに天を仰ぐ僕の背中を、鴻ノ池は勢いよく叩く。

「ほら、小鳥先生、それじゃあ行きますよ。まずは一時間のランニングからです。しっかりついてきてくださいね」

ハイテンションな鴻ノ池の声に、僕はこれからはじまる苦行を覚悟したのだった。


足が重い……、肺が痛い……。

額から滴る汗を拭う余裕もなく、僕は足を動かし続ける。

すでに十数キロは走っている。大学時代は毎日空手部で基礎体力向上のため走り込んでいた。医者になってからは空手の稽古こそ続けていたが、ランニングは全くしていない。数年ぶりの酷使に、足が悲鳴を上げている。

もう限界だ……。僕がスピードを緩めかけたとき、前を走っていた鴻ノ池が先に速度を落とした。

「お疲れ様でした、小鳥先生。ランニングはここまでです。けど、さすがですね、私のスピードについてこれるなんて。ほとんどの人は一緒に走っても、途中で振り落とされるのに」

「これでも……学生時代は……鍛えて……」

膝に両手をついて酸素を貪っていた僕は、荒い呼吸の隙間を縫って声を絞り出そうとするが、思い切りむせてしまう。鴻ノ池が「大丈夫ですか？」と背中をさすってくれた。

「ああ、ありがとう。もう大丈夫だ。なんにしろ、これで解散だな。僕は帰って貴重な休日を楽しむことにするよ」

なんとか息が整ってきた僕が言うと、鴻ノ池は「なに言っているんですか？」と不思議そうに小首を傾《かし》げた。

「『まずは』ランニングだって、言ったじゃないですか？　これはあくまでウォーミングアップです。目的地に着くまでの時間を有効活用しただけですよ」

「……目的地」

僕は弱々しくつぶやきながら顔を上げる。喉の奥から「ううっ……」とうめき声が漏れてしまう。目の前にある三階建ての建物、その壁面には大きく『マッスルジム東久留米店』の文字が躍っていた。

立ち尽くす僕に、鴻ノ池がコケティッシュな笑みを向けた。

「と言うわけで、いまからが本番です。気合入れていきますよ！」

「ほら、もう一回上げられます。気合です、気合。自分の限界を突破するんです。その先に見えてくる世界があります！」

そんな世界、見たくない……。胸の内側で反論しつつ、僕は胸の外側の筋肉を総動員し、歯を食いしばってバーベルを押し上げる。

一時間ほど前、トレーニングジムに引っ張り込まれた僕は、ひたすら鉄の塊を持ち上げ続けるという苦行を強いられていた。

残っている力を振り絞って、僕はバーベルを押し上げ、なんとかホルダーに引っ掛ける。

「おお、やればできるじゃないですか」

ベンチプレス台に横たわっている僕を、頭側から覗《のぞ》き込んでいた鴻ノ池が、パチパチと拍手をする。

「小鳥先生の大胸筋も喜んでいますよ」

「いや……、大胸筋は……、悲鳴を上げてる……。ついでに言えば……、僕も……」

息も絶え絶えに言うと、鴻ノ池は目を細めた。

「その苦しさが、快感に変わってくるんです。なんと言うか、筋肉が焼けつくようなあのジーンとした感じ、はまると病みつきですよ」

鴻ノ池は露出度の高いウェアに包まれた体を自らの腕で抱くと、くねくねと体を動かした。

「……そんな、変態的な快感、知りたくない」

「いえ、先生はもう知ってしまったのです。筋肉の欲求に従って生きれば、きっといま以上にマッチョになりますよ。と言うわけで交代しましょう。スポッター、お願いしますね」

鴻ノ池はバーベルについているウェイトを調整していく。よろよろと立ち上がった僕に代わってベンチプレス台に横たわった鴻ノ池は、きれいに背中を反らせてブリッジをすると、バーベルをホルダーから外した。

さすがに男性で七十五キロ以上の体重がある僕より重量は少ないものの、バーベルを上げるフォームとテンポは完璧だった。五十キロ近い重量を十数回、上下させると、鴻ノ池はバーベルをホルダーに戻し、大きく息をつく。

「ほら、みて下さいよ、このハリを。筋肉が喜んでいるの分かるでしょ」

上半身を起こした鴻ノ池は、スポーツブラに包まれた胸を張る。もともと引き締まったプロポーションをした鴻ノ池が、露出度の高いウェアでそんなポーズをとっているので、近くを通りかかる男たちが横目でちらちらと視線を送ってきた。

「分かったからやめろって。他の男がいやらしい目で見ているぞ」

僕は鴻ノ池から視線を外してため息をつく。

「……なんで目を逸《そ》らすんですか？　前から思っていたけど、小鳥先生って私のこと、異性として全く興味ないですよね。私、このルックスとプロポーションで、結構人気あるんですよ」

「いくら外見が良くても中身がなぁ……」

「私の中身の何が不満なんですか？　先輩想いの可愛《かわい》い後輩でしょ。鷹央《たかお》先生と早くくっついて欲しいから、うまく三人で飲み会をして、途中でこっそり抜けて、酔った二人が既成事実という名の間違いを犯すお膳立てをしたり……」

「そういうところだよ！」

僕が突っ込むと、鴻ノ池はペロッと小さく舌を出した。

「けど、鷹央先生がお酒強すぎて、小鳥先生がいつもべろべろに潰されるから失敗しているんですよね。そろそろ、違う手段を考えなくっちゃ……」

「もう勘弁してくれ……。なんで、僕と鷹央先生をそんなにくっつけたがるんだよ」

トレーニングによる身体疲労と、鴻ノ池に付き合わされることによる精神的疲労で、うなだれてしまう。

「だって、自分の好きな人同士が恋人になったら、すごくうれしいじゃないですか」

僕が「え？」と顔を上げると、鴻ノ池は悪戯《いたずら》っぽく微笑《ほほえ》んだ。

「あれ？　気づいていませんか。私、小鳥先生のこと大好きですよ。先輩ドクターとして。いつも一生懸命だし、なんだかんだ文句言っても色々と教えてくれるし、外科手技とかすごいし、優しいし」

「先輩ドクターとしてね」

僕が苦笑すると、鴻ノ池はいやらしく目を細める。

「あと、小鳥先生の筋肉にかんしては、性的に好きです。やっぱり空手みたいな、打撃系格闘家の筋肉って、ウェイトだけで鍛えた筋肉とはちょっと違って、シャープなエロさがありますよね。特に肩回りと上腕三頭筋の形が秀逸と言うか……」

僕の上半身にねっとりとした視線を這《は》わせながら、鴻ノ池はぐふふとくぐもった笑い声を出した。恐怖で思わず後ずさりをしてしまう。

「というわけで、今日は体力回復に付き合ってくれただけじゃなく、精神的にも回復させてもらって感謝してます。落ち込んでいるのは私らしくないって、ちょっと無理していたところあったから」

鴻ノ池がはにかむのを見て、僕は肩をすくめる。

「まあ、ちょっと予定外だったけど、お前の元気が出たなら良かったよ。元気なお前はうざいけど、萎《しお》れているとこっちまで調子が出なくてさ。これくらいならいくらでも付き合ってやるよ」

僕が言うと、鴻ノ池の顔がぱっと輝いた。

「言いましたね。それなら、ベンチプレスあと二セットいきますよ。そのあとは、背中のトレーニング、足のトレーニングと続いて、最後にプロテインドリンクで乾杯しましょう！」

「いや、あの、それは……」

ああ、僕はなぜまた迂闊《うかつ》なことを口走って、言質《げんち》を取られてしまったのだろう。

後悔する僕の腕を摑《つか》みながら、鴻ノ池はトレードマークの屈託ない笑みを満面に浮かべた。

本作は二〇一六年八月に刊行された
『幻影の手術室　天久鷹央の事件カルテ』（新潮文庫）を
加筆・修正の上、完全版として再文庫化したものです。
完全版刊行に際し、新たに掌編を収録しました。

実業之日本社文庫
ち1 202

幻影《げんえい》の手術室《しゅじゅつしつ》　天久鷹央《あめくたかお》の事件《じけん》カルテ　完全版《かんぜんばん》

2023年12月15日　初版第1刷発行

著　者　知念実希人《ちねんみきと》

発行者　岩野裕一
発行所　株式会社実業之日本社
〒107-0062　東京都港区南青山6-6-22 emergence 2
電話［編集］03(6809)0473［販売］03(6809)0495
ホームページ　https://www.j-n.co.jp/
ＤＴＰ　ラッシュ
印刷所　大日本印刷株式会社
製本所　大日本印刷株式会社

フォーマットデザイン　鈴木正道（Suzuki Design）

ISBN978-4-408-55854-7（第二文芸）